英検® 準2級 頻出度別問題集

高橋書店

CONTENTS

編集協力 どりむ社
データ分析 岡野 秀夫
本文イラスト 山田 奈穂
音声制作 (一財)英語教育協議会(ELEC)
ユニバ合同会社
音声協力 Howard Colefield
Karen Haedrich
Julia Yermakov
Peter Gomm
水月 優希
小谷 直子
校閲 Michael Hood

英検®準2級受験にあたって

試験の出題レベル

高校中級程度です。具体的には日常生活に必要な英語を理解し、使用できることが求められます。

審査領域

読む…日常生活の話題に関する文章を理解することができる。
聞く…日常生活の話題に関する内容を理解することができる。
話す…日常生活の話題についてやりとりすることができる。
書く…日常生活の話題について書くことができる。

試験概要

従来型試験は一次試験（筆記試験とリスニングテスト）と二次試験（面接形式のスピーキングテスト）があります。一次試験の結果は、ウェブサイト上と書面で通知され、一次試験合格者は、一次試験の約１か月後に二次試験を行います。コンピューターで受験する「S-CBT」は、１日で試験が完結します。

試験の時期

５月下旬～７月上旬、９月下旬～11月中旬、翌年１月中旬～３月上旬の年３回実施されます。

試験の申し込み期間と申し込み場所

大体、試験の２か月半前から１か月前の間に申し込めます。個人で受験する場合、一部の書店・コンビニエンスストア、インターネットで申し込めます。

受験地

協会の指定した場所で試験を受けます。

一次試験の免除

一次試験に合格し、二次試験に不合格、もしくは何らかの理由で棄権した場合、１年間は一次試験が免除されます。ただし、二次試験を受ける際には出願手続きをとらなければなりません。

試験についての問い合わせ先

公益財団法人 日本英語検定協会
〒162-8055　東京都新宿区横寺町55
TEL 03-3266-8311（英検サービスセンター）　URL https://www.eiken.or.jp/

※試験についての関連事項は変わることがあります。

一次試験

試験の問題数は筆記31問とリスニング30問の計61問です。試験時間はそれぞれ80分、約25分となっています。

● 筆記試験　31問(80分)	問題数	本書の該当章
① 短文の語句空所補充 短文、または会話文の空所に入る語句を四つの選択肢から選ぶ。	15	第1章
② 会話文の文空所補充 会話の中に空欄があり、そこに入る表現を四つの選択肢から選ぶ。	5	第2章
③ 長文の語句空所補充 長文の中に空欄があり、そこに入る語句を四つの選択肢から選ぶ。長文は「物語文」「説明文」。	2	第3章
④ 長文の内容一致選択 長文の質問に対して、最も適切な解答を四つの選択肢から選ぶ。長文は「Eメール」「説明文」。	7	第3章
⑤ ライティングテスト Eメールでの返信文を40～50語の英文で書く。 与えられた質問に対して、50～60語の英作文を書く。	2	第4章
● リスニングテスト　30問(約25分)		
① 会話の応答文選択 対話を聞いて、その最後の文に応答する文を、三つの選択肢から選ぶ(選択肢は問題用紙には印刷されない、英文は1回のみ読まれる)。	10	第5章
② 会話の内容一致選択 対話を聞いて、その質問に対する答えを、四つの選択肢から選ぶ(英文は1回のみ読まれる)。	10	第5章
③ 文の内容一致選択 文を聞いて、その質問に対する答えを、四つの選択肢から選ぶ(英文は1回のみ読まれる)。	10	第5章

二次試験（面接形式のスピーキングテスト）

- 形式…１対１の個人面接
- 面接時間…約６分
- 試験の流れ…簡単な挨拶 → 50語程度の文章とイラストのある問題カードの黙読 → 文章の音読 → 文章およびイラストに関する質問

本書の特長

❶ 頻出度別にパートを分け、よく出る問題から始められる

ここ数年間に出題された準２級の問題を細かく分析し、第１章は頻出度Ａ・Ｂ・Ｃの３パート、ほかの章はＡ・Ｂの２パートに分類して構成しています。

頻出度A：必ず押さえる！　最頻出問題

頻出度B：合否の分かれ目！　重要問題

頻出度C：A、B以外の押さえておきたい問題

なお第３章 長文問題と第４章 ライティングテストは、重要度で表示しています。

❷ 試験に出た単語・熟語リストが見られる

本書の第1章と専用サイトに載せたリストをおさえれば、過去10年間に「語句空所補充」によく出た単語・熟語をカバーできます。

※リストはこちら

https://www.takahashishoten.co.jp/book/43062wordidiom/

❸ 模擬試験で予行演習ができる

本書の総まとめとして、模擬試験を収録しています。直前対策や力だめしとして活用できます。

❹ 音声をパソコン・スマートフォンで聞ける

以下の手順を参考に、学習環境に合わせてご利用ください。

・下記の専用サイトにアクセス、もしくは二次元コードを読み取り、お使いの書籍を選択してください。
https://www.takahashishoten.co.jp/audio-dl/43192.html

・パスワード入力欄にシリアルコード(43192)を入力してください。

・全音声をダウンロードするをクリック
※ストリーミングでも再生できます

※本サービスは予告なく終了することがあります。
※パソコン・スマートフォンの操作に関する質問にはお答えできません。

第 1 章

短文の語句空所補充

Pre-2nd Grade

対策ポイント

短文の語句空所補充

短文、または会話文の空所に入る語句を四つの選択肢から選ぶ問題です。ここでは語彙、熟語の知識が問われます。

このパートは 15 問出題されます。この後には、長文やライティングなど比較的時間を要する問題が続くので、この 15 問はできるだけ早く解答したいところです。

Point 1
文脈の中で覚える

この試験では、出題された語彙や熟語を皆さんが実際に使えるかどうかが試されているということを忘れてはいけません。したがって、単語の意味のほか、文脈の中でどのようなニュアンスで、また、どのような状況で使われるかも理解しておく必要があります。

重要な語句は再び出題される可能性が高いので、正解できなかった問題はくり返し解いて、確実に答えられるようにしてください。その際、単語の意味だけでなく、文脈に注意を払うことも忘れずに。また、正解以外の選択肢も重要な語彙なので、意味を確認しましょう。

Point 2
多読を心がける

時間に余裕があれば、多読をお勧めします。

その場合、速読の練習をするといっそう効果的です。ゆっくり読んでいると、どうしても日本語に訳してしまって、文全体の意味を感覚的にすばやくとらえたり、語句の意味を文脈から類推したり、語句や文の意味をイメージしたりできなくなってしまうからです。

Point 3
語源による語彙力の増強

知らない語句に出合ったときは接頭辞と接尾辞の知識が威力を発揮します。例えば、unforgettableという単語を知らなくても、forget（忘れる）にun-（否定を表す接頭辞）と-able（～することができる）がそれぞれ前後に付加されていることに気づけば、「忘れることができない」「記憶に残る」という意味を類推できます。

頻出単語と例文

単語	例文
☐ **across** 横切って	He drives **across** a big bridge every day to go to work. 彼は毎日、大きな橋を車で**渡って**仕事に行く。
☐ **careless** 不注意な	There were a lot of **careless** spelling mistakes in her paper. 彼女のレポートにはたくさんの**不注意による**つづりの間違いがあった。
☐ **equal** 平等の	He cut the cake into eight **equal** pieces. 彼はケーキを８**等分**にした。
☐ **final** 最終の	He is now on the **final** chapter of the book. 彼は今、その本の**最終**章を読んでいる。
☐ **govern** ～を統治する、運営する	Roosevelt did a good job of **governing** the United States. ルーズベルトはアメリカ**を統治する**という、すばらしい仕事をした。
☐ **hunt** 狩りをする	Lions **hunt** in groups. ライオンは群れで**狩りをする**。
☐ **import** 輸入する	He **imports** clothing from Italy. 彼はイタリアから服を**輸入**している。
☐ **miracle** 奇跡	It was a **miracle** that he had not been hurt badly. 彼がひどくけがをしなかったのは**奇跡**だった。
☐ **neither** （どちらも）～でない	You don't like hiking. **Neither** do I. 君はハイキングが好きじゃないんだね。ぼく**も**そうだよ。
☐ **publish** ～を出版する、発行する	This novel was **published** in 2006. この小説は2006年に**出版された**。
☐ **rumor** 噂	I heard the **rumor** that he was getting married. 彼がもう少しで結婚するという**噂**を耳にした。
☐ **scream** 金切り声を出す	She **screamed** with fear. 彼女は恐怖で**叫び声をあげた**。
☐ **whisper** （人に）～をささやく	She **whispered** the word so that nobody else could hear. 他の誰にも聞こえないように、彼女はその言葉を**ささやいた**。

短文の語句空所補充

次の（　　）に入れるのに最も適切なものを **1**、**2**、**3**、**4** の中から一つ選びなさい。

(1) ☐ Sarah told her son not to (　　) his back and to keep it straight when eating dinner. She hoped his behavior would be better.

1 tie　　**2** bend
3 delay　　**4** seek

(2) ☐ The zoo can easily be (　　) by public transportation and is near several hotels.

1 delivered　　**2** accessed
3 increased　　**4** proposed

(3) ☐ My boss is a reasonable man. I have never had a big (　　) with him.

1 speech　　**2** introduction
3 comment　　**4** argument

(4) ☐ Jessica wanted to travel around Europe for a year, but her parents were (　　) the idea. They said the trip would be too dangerous.

1 above　　**2** against
3 behind　　**4** along

(5) ☐ Henry goes swimming every weekend. He is (　　) great shape, and he feels very healthy.

1 in　　**2** for
3 to　　**4** at

(6) ☐ Emily played with her dog in the park. When she threw a ball, her dog (　　) it.

1 expected　　**2** ordered
3 chased　　**4** shared

解答・解説

(1) 訳 サラは息子に、食事のときは背中を曲げず、まっすぐにするよう教えた。彼の行儀がよりよくなることを、彼女は望んでいた。

解説 **1** tie「結ぶ」**2** bend「曲げる」**3** delay「遅れる」**4** seek「捜し求める」。back「背中」につながる動詞を選ぶ。

(2) 訳 動物園には公共交通機関で楽に来られ、近くにはホテルが数件ある。

解説 それぞれ**1** deliver「配達する」**2** access「近づく」**3** increase「増やす」**4** propose「提案する」の過去分詞。can be accessedで「来られる」。public「公共の」、transportation「交通機関」。

(3) 訳 私の上司は道理をわきまえた人だ。彼とは一度も大きな口論をしたことがない。

解説 have an argumentで「口論をする」。**1** speech「演説、スピーチ」**2** introduction「紹介」**3** comment「意見、批評」。boss「上司」、reasonable「道理をわきまえた、分別がある」。

(4) 訳 ジェシカは1年間ヨーロッパを旅行することを望んでいたが、彼女の両親はその考えに反対した。その旅行は危険すぎると彼らは言った。

解説 **1** above ～「～より上に」**2** against ～「～に反対して」**3** behind ～「～の後ろに」**4** along ～「～に沿って」。ジェシカの両親がその旅行は危険すぎると言っていることに着目。

(5) 訳 ヘンリーは毎週末泳ぎにいっている。彼は体調が非常によく、とても健康的だと感じている。

解説 in (great) shapeで「体調がよい、とても元気である」という意味。

(6) 訳 エミリーは公園で彼女の犬と遊んだ。彼女がボールを投げると、彼女の犬はそれを追いかけた。

解説 それぞれ**1** expect「～を予期する」**2** order「～に命じる」**3** chase「～を追いかける」**4** share「～を分かち合う」の過去形。

(7) ☐ Steve didn't have enough ( ) to buy the T-shirt that he wanted, so he bought a cheaper one.

1 cash **2** peace
3 data **4** shade

(8) ☐ When you move to a new house, you have to move all of your ( ), like beds, dressers, and bookshelves.

1 furniture **2** housework
3 appointments **4** rumor

(9) ☐ **A**：Tell me where you want to go. It's your ( ). Anywhere you want to go is fine.
B：Then, let's go shopping.

1 prize **2** issue
3 schedule **4** choice

(10) ☐ **A**：Tom, please turn down the TV. I'm ( ) the phone.
B：Sorry, Mom.

1 on **2** in
3 to **4** out

(11) ☐ Tom missed school for a week because of his ( ). He had a fever and cough.

1 object **2** poverty
3 beauty **4** illness

(12) ☐ When Lisa and her friends were children, they spent a lot of time in the park. Sometimes they ( ) play there all day.

1 must **2** would
3 can **4** were

(7) 訳 スティーブはほしかったTシャツを買うための十分な現金がなかったので、安い方を買った。

解説 **1** cash「現金」**2** peace「平和」**3** data「データ」**4** shade「陰」。お金を表す単語は、貨幣全般を表すmoneyもある。「支払う」という表現には、pay in cash「現金で支払う」、pay by check「小切手で支払う」などがある。
【例】 You can pay in cash or by card.「あなたは現金またはカードで支払うことができる」。

(8) 訳 新居に引っ越すとき、ベッドやドレッサー、本棚など、家具をすべて移動させなければなりません。

解説 **1** furniture「家具」**2** housework「家事」**3** appointment「約束、予約」の複数形 **4** rumor「噂」。前置詞のlikeは、「(たとえば) ～のような」という意味を表す。ベッド、ドレッサー、本棚と続いているので、家具の例をあげていることが推測できる。

(9) 訳 **A**：どこに行きたいか教えて。選択権は君にある。君が行きたい場所なら、どこでも大丈夫だよ。
B：それなら、買い物に行こうよ。

解説 **1** prize「賞」**2** issue「問題」**3** schedule「スケジュール」**4** choice「選択」。**A**の「どこでも大丈夫」という言葉に着目。相手に選択権を委ねている。

(10) 訳 **A**：トム、テレビの音量を下げてよ。今電話中なんだけど。
B：ごめん、ママ。

解説 on the phoneで「通話中である」という意味。

(11) 訳 トムは病気のために1週間学校を休んだ。病気のせいで熱が出たり咳が出たりした。

解説 **1** object「物、物体」**2** poverty「貧乏」**3** beauty「美しさ」**4** illness「病気」。2文目にfever「熱」とcough「咳」とあることから、illnessが適切。

(12) 訳 リサとその友だちは子どもの頃、公園で多くの時間を過ごした。一日中そこで遊んだこともあった。

解説 would ～で過去の習慣を表す「～したものだった」という意味。

(13) ☐ Emily likes Sunday most because she can get up (　　) she wants to.

1 whenever　　**2** whichever
3 whoever　　**4** whatever

(14) ☐ Samantha fell off her bicycle and broke her leg, so her mother took her to the hospital to have her (　　) examined and treated.

1 injury　　**2** argument
3 decade　　**4** security

(15) ☐ The movie company put posters for its new movie near the college because they thought it would (　　) young people.

1 bring up　　**2** decide on
3 appeal to　　**4** suffer from

(16) ☐ Lucy checked with her classmates after the math test to see what they had written because she was not (　　) any of her answers.

1 frightened by　　**2** compared to
3 certain of　　**4** typical of

(17) ☐ Maria likes to wear a big black hat and (　　) that she is a pirate.

1 control　　**2** pretend
3 press　　**4** recognize

(18) ☐ **A**: Is it hard to prepare this dish?
B: Not at all. You (　　) follow the recipe, and you can make this delicious meal without any difficulty.

1 typically　　**2** eventually
3 simply　　**4** rarely

(13) 訳 エミリーは、いつでも好きなときに起きられるから、日曜日が一番好きだ。

解説 **1** whenever ～「～のときならいつでも」**2** whichever ～「～のうちどちらでも」**3** whoever ～「～する人なら誰でも」**4** whatever ～「～するものなら何でも」。文脈から考えてwheneverが適切。toの後ろにはget upが省略されている。

(14) 訳 サマンサが自転車から落ちて足を骨折したので、彼女の母親は彼女を病院に連れて行き、診察と治療をしてもらった。

解説 **1** injury「傷害、負傷」**2** argument「口論」**3** decade「10年間」**4** security「安全」。

(15) 訳 その映画会社は、新作映画のポスターを大学の近くに貼った。そのポスターが若者を惹きつけると考えたからだ。

解説 **1** bring up ～「～を育てる」**2** decide on ～「～を決定する」**3** appeal to ～「～を惹きつける」**4** suffer from ～「～に苦しむ」。

(16) 訳 ルーシーは自分の解答にまったく確信を持てなかったので、数学のテストが終わったあと、クラスメートらと解答に何を書いたか確かめた。

解説 **1** frightened by ～「～に怯えている」**2** compared to ～「～に比べて」**3** certain of ～「～を確信している」**4** typical of ～「～に特徴的な」。

(17) 訳 マリアは大きな黒い帽子をかぶって、海賊のまねをして遊ぶのが好きです。

解説 **1** control「～を制御する」**2** pretend「～のふりをする」**3** press「～を押す」**4** recognize「～に覚えがある」。

(18) 訳 **A**：この料理を作るのは難しい？
B：全然。単にレシピに従うだけで、楽々とこの美味しい料理が作れるよ。

ANSWER 3

解説 **1** typically「典型的に」**2** eventually「結果的に」**3** simply「単に」**4** rarely「めったに～ない」。without any difficultyは「楽々と、苦労もなく」という意味を表す。

(19) ☐ Mary's neighbors were having a party last night and they were very noisy. She could not fall ( ) until about three o'clock in the morning.

1 alike **2** asleep
3 alone **4** aboard

(20) ☐ **A**: Sara, you're late today. What happened?
B: There was a bus accident that caused a ( ) jam. I got caught in it.

1 traffic **2** option
3 climate **4** religion

(21) ☐ Besides being honest and kind, Ms. Green always ( ) her students fairly, which is why many of the students look up to her.

1 seeks **2** treats
3 requests **4** explodes

(22) ☐ Henry is not very good at history. He relies ( ) his sister before every exam. She is a very patient teacher for him.

1 at **2** for
3 in **4** on

(23) ☐ When going through airport security, you have to ( ) off your shoes and jacket, just in case someone is hiding a knife or something.

1 give **2** hold
3 make **4** take

(24) ☐ **A**: Hey, are you busy now?
B: Actually, I was just ( ) to leave. I have an appointment to see my doctor at five.

1 about **2** around
3 next **4** up

(19) 訳 メアリーの隣人らは昨晩パーティーをしていて、とてもうるさかった。彼女は午前3時ごろまで眠りにつけなかった。

解説 **1** alike「似ている」**2** asleep「眠っている」**3** alone「独りでいる」**4** aboard「乗っている」。fall asleepで「眠りにつく」という意味。

(20) 訳 **A**：サラ、今日は遅刻したね。何があったの？
B：バスの事故が原因で、渋滞が起こったの。私はそれに巻き込まれたのよ。

解説 **1** traffic「交通」**2** option「選択肢」**3** climate「気候」**4** religion「宗教」。get（be）caught in the traffic jamで「渋滞につかまる」。他にもget stuck in traffic「渋滞で立ち往生する」などの表現がある。

(21) 訳 グリーン先生は正直で親切ということに加え、いつも生徒を公平に扱うから、生徒の多くが彼女を尊敬している。

解説 **1** seek「～を求める」**2** treat「～を扱う」**3** request「～を要求する」**4** explode「～を爆発させる」の三人称単数形。fairlyは、ここでは「公平に」という意味。

(22) 訳 ヘンリーは歴史が苦手だ。彼は毎回試験の前に姉に頼る。彼女はとても辛抱強い先生だ。

解説 rely on ～で「～に頼る、依存する」という意味。patient「辛抱強い」。

(23) 訳 空港のセキュリティーを通るとき、誰かがナイフなどを隠し持っている場合に備えて、靴やジャケットを脱がなければならない。

解説 take off ～で「～を脱ぐ」という意味。**1** give off「（蒸気や光などを）発する、放出する」**2** hold off「近寄らせない、避ける」**3** make off「急いで去る、逃亡する」。just in case「万一に備えて」。

(24) 訳 **A**：ねえ、今忙しい？
B：じつは、出るところだったんだ。5時に医者に診てもらう約束があってね。

解説 be about to ～で「今にも～しようとしている」という意味。

頻出度 A 短文の語句空所補充

(25) ☐ (　　) the weather forecast, it will rain all weekend, so we are going to play games indoors instead of going outside.

1 Depending on　　**2** For fear of
3 Along with　　**4** According to

(26) ☐ **A**：What food can we eat in Italy?
B：Italy has a rich food culture. Pizza, pasta, cheese (　　).

1 and so on　　**2** or even less
3 on and off　　**4** at a time

(27) ☐ George caught a bad cold last week. It took him a few days to (　　) it.

1 fall through　　**2** take after
3 get over　　**4** reach for

(28) ☐ Until my car (　　) from the repair shop, my mother is letting me use hers.

1 calms down　　**2** gets back
3 passes by　　**4** slows down

(29) ☐ George's doctor told him to stop drinking a lot of alcohol every day because he was (　　) of some health problems.

1 by far　　**2** at risk
3 on foot　　**4** of use

(30) ☐ John does not get along with Kevin. When they meet, they argue over small things (　　).

1 in a hurry　　**2** by mistake
3 all the time　　**4** at the moment

(25) 訳 天気予報によると、週末はずっと雨なので、外に出ずに室内でゲームをする予定です。

解説 **1** Depending on「～によって、～に応じて」**2** For fear of「～を恐れて」**3** Along with「～と一緒に」**4** According to「～によると」。

(26) 訳 **A**：イタリアではどんな食べ物が食べられるの？
B：イタリアには豊かな食文化があるよ。ピザ、パスタ、チーズ、いろいろあるよ。

解説 and so onで「など」という意味。**2** or even less ～「なおさら～ない」**3** on and off「断続的に」**4** at a time「一度に」。

(27) 訳 ジョージは先週ひどいかぜをひいた。治るまでに数日かかった。

解説 **1** fall through「失敗に終わる」**2** take after ～「～に似ている」**3** get over ～「～を克服する」**4** reach for ～「～に手を伸ばす」。

(28) 訳 私の車が修理屋から戻ってくるまで、母の車を使わせてもらっている。

解説 get backで「戻る、帰る」という意味。**1** calm down「静める、なだめる」**3** pass by「過ぎ去る」**4** slow down「速度を落とす」。let A ～「Aに～させる」。

(29) 訳 ジョージの医者は、彼には健康問題の恐れがあるため、毎日たくさん飲酒するのをやめるよう告げた。

解説 at riskで「危険にひんしている」という意味。**1** by far「はるかに」**3** on foot「徒歩で」**4** of use「有用な」。健康問題につながる表現を選ぶ。

(30) 訳 ジョンはケビンと仲が良くない。会えば、小さなことでいつも口論になる。

解説 **1** in a hurry「急いで」**2** by mistake「間違えて」**3** all the time「いつも」**4** at the moment「今」。get along with「～と仲良くやっていく」。ジョンとケヴィンは仲が良くないと言っているので、文脈を考えれば「いつも口論になる」とするのが適切。

(31) A : Hi, Mike. I heard you went to London. How was your trip?
☐ B : It was rainy on the first day, but ( ) the weather, I enjoyed the trip.

1 instead of　　2 aside from
3 close to　　4 as for

(32) Beth was absent from school until yesterday because of a bad cold. She must study hard to ( ) her classmates.
☐
1 stay away from　　2 look forward to
3 suffer from　　4 catch up with

(33) Jim takes a shower before putting on his team uniform. That's how he ( ) for soccer games.
☐
1 speaks up　　2 gets ready
3 stands out　　4 feels sorry

(34) I haven't ( ) Josh at all since we graduated from college. I have no idea where he is.
☐
1 heard from　　2 complained about
3 showed off　　4 compared with

(35) When Susan left her daughter with a baby-sitter, she wrote down her cell phone number just ( ) there was a problem.
☐
1 at hand　　2 in case
3 as if　　4 by mistake

(36) Daniel asked Sarah not to tell anyone that he was leaving for Paris, but she could not ( ) it a secret. She told others.
☐
1 choose　　2 open
3 keep　　4 send

(31) 訳 A：やあ、マイク。ロンドンへ行ったんだってね。旅行はどうだった？

B：初日は雨だったけど、天気はさておき、旅行を思い切り楽しんだよ。

解説 **1** instead of「～の代わりに」**2** aside from「～は別にして」**3** close to「～に接近した」**4** as for「～についていえば」。**B**は「初日は雨だったけど」と言っているため、文脈から推測する。

(32) 訳 ベスはひどい風邪をひいたせいで、きのうまで学校を欠席していた。クラスメートに追いつくためには、一生懸命勉強しなければならない。

ANSWER 4

解説 **1** stay away from「～から離れている」**2** look forward to「～を楽しみにしている」**3** suffer from「～に苦しんでいる」**4** catch up with「～に追いつく」。

(33) 訳 ジムはチームのユニフォームを着る前にシャワーを浴びる。それが彼のサッカーの試合の準備の仕方だ。

ANSWER 2

解説 **1** speak up「率直に話す」**2** get ready「準備をする」**3** stand out「目立つ」**4** feel sorry「申し訳なく思う」。

(34) 訳 大学を卒業して以来、ジョシュからまったく連絡がない。彼がどこにいるのか見当もつかない。

ANSWER 1

解説 それぞれ**1** hear from「～から便り(連絡)がある」**2** complain about「～について不満を言う」**3** show off「～を見せびらかす」**4** compare with「～と比べる」の過去分詞。

(35) 訳 スーザンは娘をベビーシッターに預けるとき、万が一のために自分の携帯電話の番号を書き留めておいた。

ANSWER 2

解説 **1** at hand「手元に」**2** in case ～「～のときのために」**3** as if「あたかも～かのように」**4** by mistake「誤って」。文脈からもわかるが、直後に節が続くのはin caseのみである。

(36) 訳 ダニエルはサラに、パリへ旅立つことを誰にも言わないようにと頼んだが、彼女はそれを秘密にしておくことができなかった。彼女は他の人に話してしまった。

ANSWER 3

解説 keep ～ a secretで「～を秘密にしておく」という意味。sendでも文法的には成立するが、send ～ …で「～に…を送る」という意味になる。

(37) **A**：Do you know how many guests will come to the party next week?
B：We probably have 30 people (　　). I'll check the list.
1 at the most　　**2** in the past
3 on the way　　**4** for a while

(38) Jamie has been trying to solve the problem since yesterday. He has just (　　) in finding the solution.
1 arrived　　**2** failed
3 happened　　**4** succeeded

(39) To (　　) a lot of money in the future, you must get a good job. Therefore, it is important to study a lot while you are a student.
1 ignore　　**2** guess
3 make　　**4** obey

(40) **A**：Mom, can I go to Phill's birthday party?
B：That's (　　) the question! You still have a lot of homework to do.
1 along with　　**2** out of
3 all about　　**4** next to

(41) **A**：What would you like to eat, Jamie?
B：Well, it's (　　) to you. I'm so hungry that I can eat anything.
1 next　　**2** off
3 out　　**4** up

(37) 訳 **A**：来週のパーティーにお客さんが何人来るかわかる？
B：おそらく、多くとも30人だよ。リストを確認するよ。

ANSWER 1

解説 at the mostで「多くとも」という意味。**2** in the past「過去に」**3** on the way ～「～の途中で」**4** for a while「しばらくの間」。30人という言葉に着目する。数に関係する**1**が適切。

(38) 訳 ジェイミーは昨日から問題を解こうとしている。彼はついに解決策を見つけることに成功した。

解説 succeed in ～で「～に成功する」という意味。

(39) 訳 将来、大金を稼ぐためには、良い仕事に就く必要がある。そのためには、学生のうちにたくさん勉強しておくことが大切だ。

解説 **1** ignore「～を無視する」**2** guess「～を推測する」**3** make「～を作る」**4** obey「～に従う」。make moneyで「金を稼ぐ」という意味になる。

(40) 訳 **A**：ママ、フィルの誕生日パーティーに行ってもいい？
B：そんなこと論外よ！ あなたにはまだするべき宿題がいっぱいあるでしょう。

解説 out of the questionで「問題外、論外」という意味。**1** along with ～「～と共に」**3** all about ～「～のすべて」**4** next to ～「～の隣に」。

(41) 訳 **A**：ジェイミー、何が食べたい？
B：君に合わせるよ。すごくおなかがすいているから何でも食べられるよ。

解説 up to ～で「～次第、～に合わせる」という意味。next to ～「～の隣」。

(42) It was not until I came home that I remembered I ( ) my key to the front door.
☐
1 have lost
2 had lost
3 lose
4 was losing

(43) Jacob prefers cookies ( ) candies. He always eats cookies.
☐
1 about
2 to
3 into
4 at

(44) I have two dogs. One is white and ( ) is black.
☐
1 another
2 it
3 other
4 the other

(45) The baseball game has been ( ) until next Sunday because seven members of the baseball team are sick.
☐
1 put off
2 brought out
3 torn off
4 given out

(46) Emma went to the beach, but the ( ) were so high that it was too dangerous to swim.
☐
1 stages
2 greetings
3 origins
4 waves

(42) 訳 家に帰ってきてはじめて、玄関ドアの鍵をなくしていたことを思い出した。

解説 「帰宅して思い出した」時点より前に「なくしていた」ので、過去完了を用いてhad lost とするのが適切。it is not until ～ that ...「～してはじめて…する」。

(43) 訳 ジェイコブはキャンディーよりクッキーの方が好きだ。彼はいつもクッキーを食べている。

解説 prefer ～ to ...で「…より～を好む」という意味。thanを用いないことがポイントである。

(44) 訳 私は犬を2匹飼っている。1匹は白で、もう1匹は黒だ。

ANSWER 4

解説 2匹のうち1匹が白なので、残りが1匹に限定される。anotherとotherは限定されるものとは一緒に使えないので、「残る1個の～」を意味するthe otherが正解。itでは直前の白い犬を指すことになるので不適。

(45) 訳 その野球チームのうち7人のメンバーの体調が悪いので、野球の試合は来週の日曜日まで延期されることになった。

ANSWER 1

解説 それぞれ**1** put off ～「～を延期する」**2** bring out ～「～を取り出す、引き出す」**3** tear off ～「～を引きちぎる」**4** give out ～「～を配布する」の過去分詞形。「来週の日曜日まで」という部分から、put offを推測したい。

(46) 訳 エマはビーチに行ったが、波がとても高かったので、泳ぐにはあまりにも危険だった。

解説 それぞれ**1** stage「舞台」**2** greeting「挨拶」**3** origin「起源」**4** wave「波」の複数形。

短文の語句空所補充

次の（　　）に入れるのに最も適切なものを **1**、**2**、**3**、**4** の中から一つ選びなさい。

(1) ☐ The President has（　　）nothing to improve the international economic situation.

1 accomplished　　**2** apologized
3 canceled　　**4** exchanged

(2) ☐ Please do not hesitate to ask me if you require any（　　）information for the final examination.

1 additional　　**2** perfect
3 formal　　**4** local

(3) ☐ **A**：I can't decide what flavor of popcorn I should try. Which flavor should I get, caramel or butter?
B：I don't care!（　　）quickly. The movie starts in a few minutes.

1 Keep in touch　　**2** Make up your mind
3 Take a break　　**4** Come to mind

(4) ☐ I am so sorry for breaking your precious vase, but I swear I didn't do it（　　）.

1 on purpose　　**2** at first
3 in trouble　　**4** in advance

(5) ☐ There will be a meeting at City Hall to discuss the plans for a new amusement park. The meeting will take（　　）on Friday at 3 p.m.

1 place　　**2** orders
3 note　　**4** turns

(1) 訳 大統領は、国際的な経済状況の改善を何一つ成し遂げていない。

解説 それぞれ**1** accomplish「成し遂げる」**2** apologize「謝罪する」**3** cancel「中止する」**4** exchange「交換する」の過去分詞。

(2) 訳 学期末試験について追加の情報が必要でしたら、遠慮せずに聞いてください。

解説 **1** additional「追加の」**2** perfect「完全な」**3** formal「正規の、形式上の」**4** local「地元の」。hesitate「ためらう、遠慮する」。

(3) 訳 **A**：ポップコーンのフレーバーを決められないよ。キャラメル味とバター味、どっちを買おうかな？
B：どうでもいいや！　早く決めて。あと数分で映画が始まるんだ。

解説 **1** Keep in touch「連絡を取り合う」**2** Make up your mind「決心する」**3** Take a break「休みを取る」**4** Come to mind「頭に浮かぶ」。

(4) 訳 大切な花びんを割ってしまって、本当にすみません。でも、誓ってわざとじゃないんです。

解説 **1** on purpose「故意に、わざと」**2** at first「最初は」**3** in trouble「困った状況に、面倒な状態で」**4** in advance「先立って、あらかじめ」。swear「～を誓う」。

(5) 訳 新しい遊園地を建設する計画について議論するための話し合いが市役所で行われる。その会合は金曜日の午後3時に行われる予定だ。

解説 **1** take place「行われる」**2** take orders「注文を取る」**3** take note「気づく」**4** take turns「交代する」。takeの後ろにはどれでもつながるが、意味を考えるとtake placeが正解。

(6) ☐ Laura will move next week. She hopes that her new home has a big ( ) which she puts all her clothes in.

1 market　2 product
3 closet　4 degree

(7) ☐ Mike ( ) a book on the top shelf, but he was not tall enough to get it.

1 came out　2 turned off
3 took over　4 reached for

(8) ☐ Mr. Brown is very famous in the ( ) of language teaching.

1 area　2 place
3 ground　4 space

(9) ☐ The day before yesterday, a fire broke out in the building, but fortunately, it was ( ) before it became serious.

1 focused on　2 put out
3 handed in　4 taken off

(10) ☐ **A**：Have you finished preparing for Christmas party yet?
B：I'm almost done. Can you help me ( ) the Christmas tree? I hold it and you put this golden star on the top.

1 protect　2 shake
3 contact　4 decorate

(6) 訳 ローラは来週引っ越す。彼女は、新しい家に自分のすべての服が入る大きなクローゼットがあることを望んでいる。

解説 **1** market「市場」**2** product「製品」**3** closet「クローゼット」**4** degree「度」。

(7) 訳 マイクは棚の一番上にある本を取ろうと手を伸ばしたが、それに届くほど背が高くなかった。

解説 それぞれ**1** come out「出てくる」**2** turn off ～「～を消す」**3** take over ～「～を引き継ぐ」**4** reach for ～「～に手を伸ばす」の過去形。came outは目的語のa bookとつながらないので明らかに不適。本に手を伸ばすという状況をイメージしてreached forを選ぼう。

(8) 訳 ブラウン氏は言語教育の分野でとても有名です。

ANSWER 1

解説 **1** area「面積、地域、分野」**2** place「場所」**3** ground「運動場」**4** space「空間」。いずれの選択肢も「場所」に関係していて、似たような意味だが、この文脈で「分野」の意味に使えるのは**1**だけ。famous「有名な」、language「言語」。

(9) 訳 一昨日、建物内で火災が発生しましたが、幸いにも大事に至る前に消し止められました。

解説 それぞれ**1** focus on「～を集中させる」**2** put out「(明かりや火など) を消す」**3** hand in「～を提出する」**4** take off「～を脱ぐ」の過去分詞。

(10) 訳 **A**：クリスマスパーティーの準備はもう終わった？
B：ほとんど終わったよ。クリスマスツリーの飾り付けを手伝ってくれない？　私が木を持っておくから、この金色の星をてっぺんにつけて。

ANSWER 4

解説 **1** protect「保護する」**2** shake「振る」**3** contact「接触する」**4** decorate「飾り付ける」。

頻出度 B 短文の語句空所補充

(11) Because Robert was gaining a lot of weight, his doctor (　　) him to start exercising.

1 stretched　　2 planted
3 trusted　　4 advised

(12) **A**: We have lots of Japanese yen left from this trip.
B: Let's go to the bank and (　　) it for dollars.

1 exchange　　2 respect
3 agree　　4 develop

(13) Although I was staying in New York, I didn't feel like walking outside. Maybe it was because I was suffering (　　) jet lag.

1 from　　2 of
3 to　　4 with

(14) Do most of the people here (　　) their living running their own websites?

1 earn　　2 give
3 be　　4 have

(15) Anna was offered a job as a secretary, but the terms of employment were not good. She intends to (　　) the offer.

1 stick in　　2 talk over
3 turn down　　4 hide from

(16) A seventeen-year-old student (　　) setting a series of fires in the state of New York.

1 allowed　　2 argued
3 doubted　　4 admitted

(11) 訳 ロバートは体重がかなり増えつつあったので、医者は彼に、運動を始めるよう助言した。

解説 それぞれ**1** stretch ～「～を伸ばす」**2** plant ～「～を植える」**3** trust ～「～を信用する」**4** advise ～「～に助言、忠告する」の過去形。advise ～ to …で「～に…するよう助言、忠告する」となる。問題文では空欄の後ろにto不定詞が続いており、それが当てはまるのはadviseのみである。

(12) 訳 **A**：この旅行で余った日本円がたくさんあるよ。
B：銀行に行ってドルに両替しよう。

解説 **1** exchange「交換する」**2** respect「尊敬する」**3** agree「賛成する」**4** develop「発展する」。exchange ～ for … で「～を…に交換する」。

(13) 訳 ニューヨークに滞在していたにもかかわらず、外を歩く気にならなかった。たぶん時差ぼけに苦しんでいたせいだ。

ANSWER 1

解説 suffer from ～で「～に苦しむ」という意味になる。jet lag「時差ぼけ」。

(14) 訳 ここにいる人々のほとんどはウェブサイトを運営して生計を立てているのですか？

ANSWER 1

解説 **1** earn「稼ぐ、得る」**2** give「与える」**3** be「～である」**4** have「持つ」。earn one's living で「生計を立てる」の意味。make one's living も同様の意味。

(15) 訳 アンナは秘書の仕事のオファーを受けたが、雇用条件が良くない。彼女はその申し出を断るつもりでいる。

解説 **1** stick in「～に突き刺さる」**2** talk over「～について話し合う」**3** turn down「～を断る」**4** hide from「～から隠れる」。the terms of employmentで「雇用条件」。

(16) 訳 17歳の生徒がニューヨーク州の一連の放火を自白した。

解説 それぞれ**1** allow「許す」**2** argue「主張する」**3** doubt「疑う」**4** admit「許す、認める」の過去形。**4**は admit ～ ing で「～したことを白状する」。**【参】** admit ＋ 人 ＋ to ＋ 場所・組織で「～へ入ることを許す」という意味になる。

(17) ☐ Sophia saw a beautiful statue on her trip to Rome. She took pictures from different ( ).

1 angles **2** ranks
3 guards **4** values

(18) ☐ Jennifer likes the new cap she just bought. She is going to buy ( ) one for her sister.

1 other **2** another
3 neither **4** either

(19) ☐ Using the wind to ( ) electric power has become profitable in the United States.

1 product **2** produce
3 prove **4** manufacture

(20) ☐ On the first day when they moved to London, Lucy and Tom ( ) the town. They found a nice restaurant and had dinner there.

1 shook **2** invented
3 explored **4** blamed

(21) ☐ The study found that the monkeys were willing to ( ) food with a partner.

1 feed **2** share
3 breathe **4** doubt

(17) 訳 ソフィアはローマ旅行中に美しい像を見つけた。彼女は様々な角度から写真を撮った。

解説 それぞれ**1** angle「角度」**2** rank「階級」**3** guard「警備員」**4** value「価値」の複数形。valuesは「価値観」という意味がある。

(18) 訳 ジェニファーは自分が買った新しい帽子を気に入った。彼女はもう一つ同じ帽子を妹に買ってあげるつもりだ。

解説 **1** other ～「他の～」**2** another ～「もう一つの～」**3** neither ～「～のうちいずれも…ない」**4** either ～「～のうちいずれかは…である」。anotherの直後には単数形の単語が続くことに注意。また、neither ～ nor …、either ～ or …という形も覚えておこう。

(19) 訳 アメリカでは風力発電が利益を生むようになってきた。

解説 **1** product「製品」**2** produce「生産する」**3** prove「証明する」**4** manufacture「製造する」。**1** は名詞なので不適。**4** は機械による大規模な生産を表す。

(20) 訳 ロンドンに引っ越した初日、ルーシーとトムは街を散策した。彼らは素敵なレストランを見つけ、そこで夕食を食べた。

解説 それぞれ**1** shake「振る」**2** invent「発明する」**3** explore「探索する」**4** blame「～のせいにする」の過去形。二文目のfound「発見した」につながるように、単語を選ぶ。探索をしたのちに、何かを発見するのが自然なので**3**を選ぶ。

(21) 訳 研究は、猿がパートナーと喜んで食べ物を分け合うことを突き止めた。

解説 **1** feed「餌を与える」**2** share「～を分ける」**3** breathe「呼吸する」**4** doubt「疑う」。パートナーと食べ物をどうするのかを考えて選ぼう。be willing to ～「～するのをいとわない」。

短文の語句空所補充

(22) We played tennis in the park, but it rained ( ) in the afternoon. We got wet very quickly.

1 heavily　2 socially
3 sincerely　4 proudly

(23) This machine can break easily, so you have to handle it ( ) care.

1 by　2 from
3 of　4 with

(24) **A**：How's your steak Beth?
B：It's dry and difficult to ( ). It was cooked too long.

1 chew　2 follow
3 provide　4 whisper

(25) Mary came in late, as ( ).

1 usual　2 often
3 normal　4 yet

(26) Please fill out this application form carefully. If you don't write everything ( ), you'll have to fill out a new one and it'll take you extra time.

1 lately　2 physically
3 mainly　4 correctly

(27) **A**：Do you get ( ) with your father?
B：No, I never talk with him.

1 away　2 along
3 well　4 over

(22) 訳 公園でテニスをしていたが、午後に大雨が降った。私たちはたちまち濡れてしまった。

解説 **1** heavily「激しく」**2** socially「社会的に」**3** sincerely「心から」**4** proudly「誇らしげに」。heavy rain「大雨」やheavy snow「大雪」といった表現も覚えよう。

(23) 訳 この機械は壊れやすいので、注意して扱わなければならない。

解説 with careで「注意して」という意味。

(24) 訳 **A**：ステーキはどうだい、ベス？
B：ぱさぱさで噛むのが大変。焼きすぎだね。

解説 **1** chew ～「～を噛む」**2** follow ～「～についていく」**3** provide ～「～を提供する、～に提供する」**4** whisper「ささやく」。

(25) 訳 メアリーはいつものように遅れて来た。

解説 as usual で「いつものように」という意味。**4** as yet「（否定文で）今のところ」。

(26) 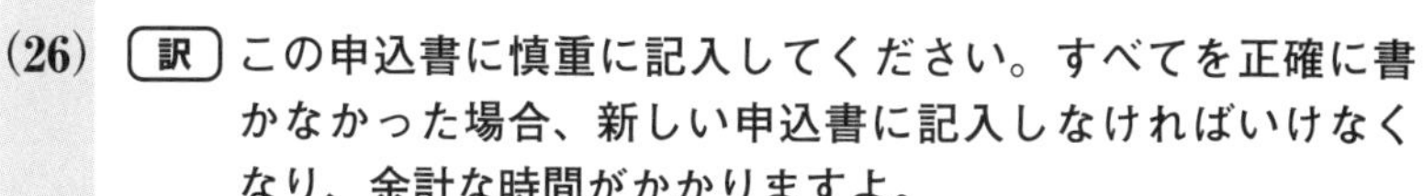
訳 この申込書に慎重に記入してください。すべてを正確に書かなかった場合、新しい申込書に記入しなければいけなくなり、余計な時間がかかりますよ。

解説 **1** lately「最近」**2** physically「物理的に、身体的に」**3** mainly「主に」**4** correctly「正確に」。

(27) 訳 **A**：お父さんとは仲良くやっているの？
B：いや、まったく口もきかないよ。

解説 get along with ～で「～と仲良くやっていく」。**1** get away「逃げる、離れる」**3** get well「元気になる」**4** get over「乗り越える、回復する」。

頻出度 B

短文の語句空所補充

(28) Soy beans have many different uses. For example, tofu and miso are made ( ) soy beans.

1 from
2 of
3 at
4 about

(29) I was at a ( ) for words when I heard the sad news of Dr. Fleming's passing.

1 thought
2 loss
3 point
4 distance

(30) **A** : Can you do me a ( )? Will you please stay home while I'm out?
B : Sure, Mom. I watch TV while waiting for you.

1 prize
2 favor
3 shadow
4 risk

(31) **A** : I've finished packing. My luggage is already full.
B : ( ) in mind that you have to buy souvenirs for your family.

1 Lead
2 Keep
3 Run
4 Stay

(32) When Kate made the ( ) to be an artist instead of going to college, her parents didn't like the idea.

1 practice
2 experience
3 interest
4 decision

(33) **A** : We have been walking in the mountain for a long time. Will we arrive to the top soon?
B : Not yet. We've only walked 10 kilometers so ( ). It will take us about two hours.

1 far
2 long
3 well
4 little

(28) 訳 大豆には多くの異なった用途がある。例えば、豆腐とみそは、大豆から作られている。

解説 be made from ～で「～（原料）から作られている」。2はbe made of ～で「～（材料）でできている」。for example「例えば」。

(29) 訳 フレミング先生が亡くなったという悲報を聞いて、言葉を失ってしまった。

解説 (be) at a lossで「（～するのに）困って、途方にくれて」という意味。

(30) 訳 A：お願いを聞いてもらえる？　私が外出している間、家にいてくれない？

B：もちろんだよ、ママ。待っている間、テレビを見ているよ。

解説 Can you do me a favor? で「お願いを聞いてくれますか？」という意味。Can I ask you a favor?「お願いしてもいいですか？」同様、依頼する際によく使用される表現。**1** prize「賞」**3** shadow「影」**4** risk「危険」。

(31) 訳 A：荷造りが終わったわ。かばんがすでにいっぱいだわ。

B：君の家族にお土産を買わないといけないことを覚えておいてね。

解説 keep in mindで「覚えておく」という意味。**1** lead「導く」**3** run「走る」**4** stay「滞在する」。souvenir「お土産」。

(32) 訳 大学に進学せずに芸術家になるという決断をケイトがしたとき、彼女の両親はそれが気に入らなかった。

解説 make decision to ～で「～する決断を下す」という意味。**1** practice「練習」**2** experience「経験」**3** interest「関心」。

(33) 訳 A：長い間山の中を歩いているよ。もうすぐ頂上に着くかな？

B：まだだよ。今のところたった10キロしか歩いていない。２時間はかかるよ。

解説 so farで「今のところ」という意味。**2** long「長い」**3** well「よく」**4** little「少し」。

頻出度 B 短文の語句空所補充

(34) Alice was very tired yesterday, so she took a taxi (　　) the way home from work.

1 of　　**2** at
3 on　　**4** in

(35) Jane went to see the movie with her family last Sunday. It gave her a deep impression and she talked about it all the (　　) home.

1 chance　　**2** way
3 step　　**4** place

(36) I started to get more serious about playing the guitar, although it was just (　　) fun at first.

1 of　　**2** by
3 for　　**4** with

(37) There are many foreign women living in this town. One lady, (　　) instance, is from France and teaching French to children.

1 for　　**2** in
3 on　　**4** by

(38) The neighbor ran into the burning house (　　) his own life to save a baby. He finally came out with the baby. The baby's family thanked him.

1 by the side of　　**2** at the risk of
3 in the course of　　**4** on the edge of

(39) My father likes all kinds of sports and (　　) enjoys golf.

1 directly　　**2** especially
3 exactly　　**4** gradually

(34) 訳 アリスは昨日とても疲れていたので、仕事からの帰り道に、タクシーに乗った。

解説 on the way homeで「帰宅途中で」という意味。

(35) 訳 ジェーンは先週の日曜日に家族と映画を観に行った。それは彼女に深い感銘を与え、彼女は帰宅途中ずっとそれについて話した。

解説 all the way home で「帰宅途中ずっと」という意味。**1** chance「機会」**3** step「歩み」**4** place「場所」。

(36) 訳 最初はただ楽しみでギターを弾いていたのですが、真剣に取り組むようになりました。

解説 for funで「娯楽のために」という意味。serious「まじめな、真剣な」。

(37) 訳 この町には多くの外国人女性が暮らしています。例えば、ある女性はフランス出身で、子どもたちにフランス語を教えています。

解説 for instanceで「例えば」という意味。

(38) 訳 隣人は、赤ん坊を救うため、自分の命の危険をおかして、燃え盛る家に飛び込んだ。彼はついに赤ん坊を連れ、外に出てきた。家族は彼に感謝した。

解説 at the risk of ～で「～の危険をおかして」という意味。**1** by the side of ～「～のそばで」**3** in the course of ～「～の間に」**4** on the edge of ～「～の端に」。

(39) 訳 私の父はあらゆるスポーツが好きで、特にゴルフを楽しむ。

解説 **1** directly「直接に」**2** especially「特に」**3** exactly「正確に」**4** gradually「徐々に」。

(40) Our room had a wonderful ( ) of the harbor.
☐
1 view　　2 angle
3 poetry　　4 accessory

(41) Doctors and scientists are always looking for new medicines to stop ( ) from spreading.
☐
1 topics　　2 journeys
3 comedies　　4 diseases

(42) **A**: Does the price of the hotel room ( ) dinner?
B: No, I'm afraid not, but you can add dinner for an extra $20.
☐
1 observe　　2 bother
3 include　　4 trust

(43) Food and drink are not ( ) in the museum, so we decided to eat before going there.
☐
1 allowed　　2 produced
3 treated　　4 wasted

(44) Yoshiko left her wallet at home when she went to the convenience store to buy a magazine. But ( ), a friend of hers was there, and he lent her some money.
☐
1 directly　　2 luckily
3 completely　　4 rapidly

(40) 訳 私たちの部屋から港のすばらしい景色が見えた。

解説 **1** view「景色」**2** angle「角度、視点」**3** poetry「詩」**4** accessory「装飾品」。「すばらしい港の〜が見えた」に当てはまる語を選ぶ。

(41) 訳 医師や科学者は、様々な病気が拡がらないように、常に新しい薬を探し求めている。

解説 それぞれ**1** topic「主題」**2** journey「旅」**3** comedy「喜劇」**4** disease「病気」の複数形。stop 〜 from …ingは「〜が…するのを妨げる、〜に…させない」という意味。

(42) 訳 **A**：このホテルの部屋の料金は、夕食を含んでいますか？
B：いえ、残念ながら含んでいません。しかし、追加で20ドル払うことで夕食を付けることができます。

解説 **1** observe 〜「〜を観察する、順守する」**2** bother 〜「〜を困らせる」**3** include 〜「〜を含む」**4** trust 〜「〜を信用する」。

(43) 訳 博物館内での飲食は許可されていないので、私たちはそこへ行く前に食事をすることにした。

解説 それぞれ**1** allow「許可する、許す」**2** produce「生産する」**3** treat「ごちそうする」**4** waste「浪費する」の過去形。decide「決める」。

(44) 訳 ヨシコは雑誌を買いにコンビニに行ったとき、財布を家に置いてきてしまった。しかし、幸運にも彼女の友人がそこにおり、彼がお金をいくらか貸してくれた。

ANSWER 2

解説 **1** directly「直接」**2** luckily「幸運にも」**3** completely「完全に」**4** rapidly「急速に」。

頻出度 C

短文の語句空所補充

次の（　　）に入れるのに最も適切なものを **1**、**2**、**3**、**4** の中から一つ選びなさい。

(1) ☐ Gary made a snowman yesterday, but it rained heavily today, so his snowman finally (　　) away.

1 bloomed　　**2** grabbed
3 melted　　**4** sailed

(2) ☐ **A**：Kevin, are you still working at Sandwich Planet?
B：No. I (　　) last week. I have a job at a convenience store now.

1 beat　　**2** quit
3 rode　　**4** shook

(3) ☐ **A**：Are there a lot of foreign people in your country?
B：Yes. We have workers of many different (　　). They come from all over the world to work here.

1 conversations　　**2** suggestions
3 averages　　**4** nationalities

(4) ☐ **A**：How did you do on the test?
B：Unfortunately, I (　　) out of time and couldn't finish it.

1 took　　**2** ran
3 came　　**4** gave

(5) ☐ **A**：I have to work late tonight. Why don't we go to the restaurant (　　)?
B：OK. I'll meet you there.

1 mainly　　**2** completely
3 officially　　**4** separately

(1) 訳 ゲイリーは昨日雪だるまを作ったが、今日は大雨が降ったので、彼の雪だるまは結局溶けてしまった。

ANSWER 3

解説 それぞれ**1** bloom「咲く」**2** grab「つかむ」**3** melt「溶ける」**4** sail「航海する」の過去形。melt away「溶けてなくなる」。

(2) 訳 **A**：ケビン、今でもサンドウィッチ・プラネットで働いているの？

B：いや、先週辞めたよ。今はコンビニで働いているんだ。

解説 それぞれ**1** beat ～「～をたたく、打ち負かす」**2** quit「辞める」**3** ride「乗る」**4** shake ～「～を振る」の過去形。

(3) 訳 **A**：あなたの国にはたくさん外国人がいますか？

B：はい。たくさんの違った国籍の労働者がいます。世界中から、ここに働きに来ます。

解説 それぞれ**1** conversation「会話」**2** suggestion「提案」**3** average「平均」**4** nationality「国籍」の複数形。

(4) 訳 **A**：テストの出来はどうだった？

B：残念ながら、時間がなくなって最後までできなかったよ。

解説 run out of ～で「～（物、時間など）を使い果たす、切らす」という意味。

(5) 訳 **A**：今夜は遅くまで働かなければいけないんだ。レストランには別々に行かない？

B：わかったよ。そこで会おう。

解説 **1** mainly「おもに」**2** completely「完全に」**3** officially「公式に」**4** separately「別々に」。**A**の「遅くまで仕事がある」という発言に着目。**A**と**B**が一緒に行けないことから、separatelyを予想する。

column 1 短文の語句空所補充に出る単語

わからなかった語は☐に印をつけ、しっかり復習しておきましょう。

- ☐ access　～にアクセスする
- ☐ ache　痛む
- ☐ achieve　～を成し遂げる
- ☐ balance　バランス
- ☐ basic　基礎の
- ☐ basically　基本的に
- ☐ calmly　落ち着いて
- ☐ capacity　容量
- ☐ career　経歴、職業
- ☐ danger　危険性
- ☐ deadline　締め切り
- ☐ decision　決定、決断
- ☐ easily　簡単に
- ☐ empty　空の
- ☐ engineer　技術者
- ☐ fail　失敗する
- ☐ feel　～を感じる
- ☐ fever　熱
- ☐ gain　～を獲得する
- ☐ generation　同世代の人々
- ☐ geography　地理学
- ☐ harvest　収穫期、収穫
- ☐ heavily　大量に、激しく
- ☐ hide　～を隠す
- ☐ ideal　理想的な
- ☐ illness　病気
- ☐ imagine　～を想像する
- ☐ immediately　ただちに
- ☐ joke　冗談
- ☐ judge　～を判断する
- ☐ knowledge　知識
- ☐ lead　～を案内する、導く
- ☐ leadership　リーダーシップ、指導力
- ☐ locate　～に置く、設立する、構える
- ☐ material　生地、原料、材料
- ☐ melt　融ける
- ☐ memorize　～を暗記する
- ☐ narrow　狭い
- ☐ nationality　国籍
- ☐ naturally　当然ながら、自然に
- ☐ once　一度
- ☐ open　～を開ける
- ☐ operation　手術
- ☐ payment　支払い
- ☐ penalty　刑罰
- ☐ perhaps　ことによると
- ☐ quit　～をやめる
- ☐ raise　～を上げる
- ☐ rarely　めったに～ない
- ☐ rather　(…より) むしろ
- ☐ safety　安全
- ☐ scene　現場、出来事、場面
- ☐ scold　～をしかる
- ☐ technology　科学技術
- ☐ theme　主題
- ☐ thirsty　のどの渇いた
- ☐ unlock　(戸・箱など)の錠を開ける
- ☐ valuable　価値の高い
- ☐ violent　乱暴な
- ☐ warn　警告する

第2章

会話文の文空所補充

Pre-2nd Grade

会話文の文空所補充

会話の流れを読み取り、空所に最も適切なものを、四つの選択肢から選ぶ問題です。読む力と表現力が同時に試されます。

Point 1
会話の場・状況を読み取る

会話の場とは、その会話が行われている場面です。店、レストラン、電話、ホテル、学校、通り、飛行機の機内などが考えられます。正しい選択肢を選ぶには、まず、これをつかまなければなりません。

会話の状況とは、日常の挨拶や天気の話、情報を与えたり引き出したりしている状況、相手に行為を促している状況、不平・怒り・喜びなどを表している状況、説得したり断ったりしている状況など、様々です。

ただし、特定の表現でわかる場合もあります。例えば、How about ～? や Why don't we ～?なら、何かに誘っている状況が考えられます。

Point 2
話者の関係を読み取る

友人同士、医者と患者、教師と生徒、店員と客、家族、通行人同士などが考えられます。呼びかけの言葉でわかる場合もあります。Doctor と呼んでいるなら医者との会話、Sir や Madam なら親しい人同士の会話ではない、と読み取れます。

Point 3
会話の受け答えを押さえる

❶ 選択肢が質問文の場合は、空所直後の応答を見てみましょう。

One and a half hours.(**所要時間**) ➡ How long ～?
Once a week.(**頻度**) ➡ How often ～?
10 miles.(**距離**) ➡ How far ～?
100 yen.(**金額**) ➡ How much ～?
What's the price of ～?
… at seven.(**時間**) ➡ What time ～?
… on Monday.(**曜日**) ➡ When ～?
… by train.(**手段**) ➡ How ～?
… at hotel.(**場所**) ➡ Where ～?
because ～(**理由**) ➡ Why ～?
How come ～?

❷ 状況別に応答の組み合わせを覚えましょう。

● 食べ物や飲み物をすすめている状況「～はいかがですか？」

Would you like ～？ ➡ Yes, please.（受ける場合）
How about ～？ ➡ No, thank you.（断る場合）

● 感謝している状況

Thank you (for ～). ➡ You're welcome. ／ It's my pleasure. ／ No problem.

● 謝っている状況

I'm sorry. ➡ Never mind. ／ That's all right.

● 相手の発言に、「私も～」と反応している状況

I went shopping yesterday. ➡ I did, too. ／ Me, too. ／ So did I.
I didn't study last night. ➡ I didn't, either. ／ Me, neither. ／ Neither did I.

Point 4
特定の場面で使われる会話表現を覚える

❶ 電話で

Can I speak with Susan?「スーザンと話したいのですが」
May I take a message?「メッセージをうかがってもいいですか？」
Could I leave a message?「伝言してもらえますか」
Can I call you back?「電話をこちらからかけ直してもいいですか？」
He is out to lunch.「彼は昼食に出ています」

❷ ホテルで

Do you have any rooms available?「部屋はありますか？」
I have a reservation for tonight.「今夜の予約をしているのですが」
I'd like to check out.「チェックアウトしたいのですが」

❸ 店で

May I help you?「いらっしゃいませ」
What size do you take?「サイズは？」
I'll take it.「それ、いただきます」
Do you accept credit cards?「クレジットカードは使えますか？」

❹ レストランで

Are you ready to order?「ご注文はお決まりですか？」
Would you like anything else?「ほかにご注文はありますか？」

会話文の文空所補充

次の会話文を完成させるために、(　　) に入るものとして最も適切なものを **1**、**2**、**3**、**4** の中から一つ選びなさい。

A：What are you taking this semester?
B：Well, I'm taking a math class.
A：Me, too. (　**1**　)?
B：Professor Mori's.
A：Oh, so am I.
B：How do you like the class so far?
A：I really like it.
B：(　**2**　).

(1) ☐

1 Do you take Professor Mori's class
2 Which class are you in
3 Whose class are you in
4 Who is your teacher

(2) ☐

1 So do I
2 Neither do I
3 And so
4 So I do

会話文の訳

A：今学期はどの授業をとっているの？
B：数学の授業をとっているよ。
A：私もよ。どの先生の授業をとっているの？
B：モリ教授の授業だよ。
A：あら、私もよ。
B：今までの授業は気に入っているかい。
A：気に入っているわよ。
B：ぼくもだよ。

(1)

解説 空所の後に続く**B**の返答から、空所が「誰の～？」というような質問であることが推測できる。**1**に対応する**B**の応答は、Yes, I'm in his class.となり、**2**には I'm in the applied math class. **4**には Professor Mori is. などが考えられる。

ANSWER **3**

選択肢訳
1 モリ先生の授業をとっているの？
2 どのクラスをとっているの？
3 どの先生の授業をとっているの？
4 先生は誰ですか？

(2)

解説 前文の内容を受けて答え、「～もまた、そうだ」の意味を表す場合、**So + 助動詞（be動詞）+ 主語**となる。ここでは I really like it. を受けて答えるので、**1** So do I. が正解。**2**の Neither do I. は前文が否定文の場合に用いる。**4**のように、So + 主語 + 助動詞（be動詞）とする場合は「その通り」という意味を表す。**【例】** Jane likes his class.「ジェーンは彼の授業が好きだ」→ So she does.「その通り」。

ANSWER **1**

選択肢訳
1 ぼくもだよ。
2 ぼくもそうじゃない。
3 それで。
4 その通りだ。

頻出度 A

会話文の文空所補充

A：What do you do in your free time?
B：I play golf with my brothers.
A：You do? (3)?
B：Two or three times a month.

(3) ☐
1 How often do you play
2 How long do you usually play
3 When do you play golf
4 What is your average score

A：(4)?
B：Pretty good, mostly.
A：Mostly?
B：Yes, I rented a car and I drove out to Lake Shirakaba.
A：(5)?
B：I ran off the road and hit a tree.
A：Oh, no. Were you hurt?
B：No, but it was awful. I had to leave the car and take a taxi. It cost me a lot.

(4) ☐
1 How was your trip to Shinshu
2 How are you
3 What's new
4 What's the weather like in Shinshu

(5) ☐
1 What's happening
2 What happened
3 What's going on
4 Who did you happen to meet

会話文の訳

A：暇なときは何してるの？
B：兄たちとゴルフをしてるよ。
A：ほんと？（頻度は）どのくらいプレイしてるの？
B：月に２～３回かな。

(3) 解説 空所に続く**B**の「月に２～３回」という答えから、空所では頻度を聞いていることがわかる。頻度の答え方として、every day「毎日」、once a week「１週間に１回」なども覚えておこう。

ANSWER **1**

選択肢訳
1（頻度は）どのくらいプレイしてるの？　**2**（時間は）いつもどのくらいプレイするの？
3 いつゴルフをするの？　**4** アベレージはどのくらい？

会話文の訳

A：信州への旅行はどうだった？
B：おおむね、よかったよ。
A：おおむねって？
B：ああ、車を借りてね。白樺湖（しらかばこ）へドライブに出かけたんだ。
A：何があったの？
B：道路を外れて、木にぶつかったんだよ。
A：まあ、けがをしたの？
B：いや、でもひどいもんだよ。車を置いて、タクシーを使ったんだ。ずいぶん費用がかかったよ。

(4) 解説 友人同士の会話。How are you? や What's new? は相手の様子をたずねる場合に使うが、会話の流れから、車を借りてドライブに出かけたときのことが話題になっているので、**1**が正解となる。

ANSWER **1**

選択肢訳
1 信州への旅行はどうだった？　**2** いかがですか？
3 何か変わったことない？　**4** 信州の天気はどうですか？

(5) 解説 目の前で起こっていることをたずねる場合、**1** What's happening? あるいは **3** What's going on? が適切だが、過去に起こった出来事なので、**2**が適切。また、**4** Who did you happen to meet? は「たまたま誰と出会いましたか？」という意味を表し、文脈に適さない。

ANSWER **2**

選択肢訳
1 何が起こっているの？　**2** 何があったの？
3 何が起こっているの？　**4** 誰と出会ったの？

頻出度 A

会話文の文空所補充

A：John, I heard you just moved in a new apartment.
B：Yes, I did. Would you like to come and see me?
A：Sure. (　**6**　)?
B：It takes only 10 minutes.
A：It's not bad.
B：No. In fact, it's really convenient.
A：(　**7**　)?
B：Walk down to Main Street. If you see the flower shop, my apartment is in the same building.

(6) ☐
1 How often do you visit there
2 How far is it from here
3 How soon can I get there
4 How long will it take if I walk from here

(7) ☐
1 How can I get there
2 What's the name of the street
3 When is the best time to visit you
4 Do you think I can get there on foot

A：Excuse me, I'd like to exchange this watch.
B：(　**8**　)
A：Well, the strap is broken.
B：Yes, I see. I'll find another one, then.

(8) ☐
1 What does it matter?
2 What's the problem?
3 It doesn't matter.
4 How do you like it?

会話文の訳

A：ジョン、新しい部屋に引っ越したんだってね。
B：そうだよ。遊びに来る？
A：うん。ここから歩くとしたらどのくらいかかるの？
B：たったの10分だよ。
A：そりゃ、悪くないね。
B：そうだよ。実際、とても便利だよ。
A：行き方を教えてくれる？
B：メインストリートまで歩いて、花屋が見えたら、その同じ建物の中にぼくの部屋があるんだ。

(6) 解説 空所の後の応答「10分しかかからない」から、所要時間をたずねる質問が入ることがわかる。

選択肢訳
1 どのくらい（の頻度）でそこへ行きますか？
2 ここからの距離はどのくらいですか？
3 いつごろまでにそこへ着けますか？（予定）
4 ここから徒歩でどのくらい（の時間が）かかりますか？

(7) 解説 **B**の最後の応答は道案内になっている。したがって、直前の質問は行き方をたずねていると考えられる。

選択肢訳
1 そこへはどうやって行けばいいですか？
2 通りの名前は何ですか？
3 お宅にお邪魔するのに、いつがいいですか？
4 そこへは徒歩で行けると思いますか？

会話文の訳

A：すみませんが、この時計を交換してもらいたいのですが。
B：どこの具合が悪いのですか？
A：ベルトが壊れています。
B：わかりました。それでは代わりのものを探しましょう。

(8) 解説 店員と客の会話。客からの苦情に対して、その問題点をたずねる表現は What's the problem?、What seems to be the problem?、What's wrong? などが適切。

選択肢訳
1 それがどうしたのですか？
2 どこの具合が悪いのですか？
3 それは問題ではありません。
4 気に入っていますか？

A：This is Jack Kennedy. Can I speak with Mrs. Brown?
B：I'm afraid she's out to lunch.
A：OK.（ **9** ）?
B：Certainly.

(9) ☐
1 Can you call me back
2 Can I leave a message
3 May I have your name
4 Do you know when she will be back

A：Hi, Aki. This is Takashi.
B：Hi, Takashi.（ **10** ）?
A：Well, I'm calling to see if you have any plans this weekend.
B：Why do you ask?
A：I'm wondering if you are interested in going to see a movie.
B：I'm not sure if I can.（ **11** ）
A：Sure. Then I'll wait to hear from you.
B：Bye.

(10) ☐
1 Can I speak to Aki
2 So what
3 Who is this
4 What's up

(11) ☐
1 Can I get back to you later?
2 Can I leave a message?
3 I'll take a message.
4 What's your phone number?

会話文の訳

A：ジャック・ケネディです。ブラウンさんとお話ししたいのですが。
B：あいにく、彼女は昼食に出ています。
A：わかりました。メッセージを伝えていただけますか？
B：いいですよ。

(9) 解説 **A**の発言を受けて、Certainly「いいですよ」と答えているので、**3**、**4**は文脈に合わない。**1**では、話をしたいブラウンさんではなく、たまたま電話を受けた人に電話をかけ直してもらう意味になるので、文脈に合わない。

ANSWER 2

選択肢訳
1 電話をかけ直していただけますか？
2 メッセージを伝えていただけますか？
3 お名前をうかがってもよろしいですか？
4 彼女がいつ戻るかご存じですか？

会話文の訳

A：やあ、アキ。タカシです。
B：こんにちは、タカシ。どうしたの？
A：週末に予定があるかどうかを確かめようと電話しているんだ。
B：どうしてそんなこと聞くの？
A：映画を見に行かないかなと思っているんだよ。
B：行けるかどうかわからないわ。後で電話をしてもいい？
A：わかったよ。じゃ、電話を待ってるよ。
B：じゃあね。

(10) 解説 電話での会話。**1**、**3**は電話でよく使われる表現だが、ここでは文脈に合わない。**2**は相手の話を受けたときの表現。

選択肢訳
1 アキさんにつないでください。
2 それがどうしたんですか？
3 どちらさまですか？
4 どうしたのですか？

(11) 解説 ここでは、相手と直接話しているので、**2**や**3**の message「伝言」は関係ない。また、**4**のように電話番号をたずねた場合、続く答えとして電話番号を伝えているはずなので合わない。

ANSWER 1

選択肢訳
1 後で電話していいですか？
2 伝言をお願いできますか？
3 伝言をお聞きします。
4 電話番号は何番ですか？

頻出度 B

会話文の文空所補充

次の会話文を完成させるために、(　　) に入るものとして最も適切なものを **1**、**2**、**3**、**4** の中から一つ選びなさい。

A：May I help you?
B：Yes. (　**1**　).
A：What size do you take?
B：Large.
A：How about this one? I'm sure it looks good on you.
B：Well, I don't like the color. Do you have another one in a different color?
A：Yes, we have a blue one right here.
B：Oh, that's great. (　**2**　).

(1)
1 You can do it
2 I'm looking for a sweater
3 That's not necessary
4 It is your duty

(2)
1 I'll take it
2 It's on me
3 I'm fine
4 It's over

会話文の訳

A：いらっしゃいませ。
B：セーターを探しているんですが。
A：サイズは？
B：Lです。
A：これなどはいかがですか？　きっとよくお似合いですよ。
B：色があまり好きじゃないなあ。ほかの色はありますか？
A：ここにブルーのがありますよ。
B：いいですねえ。それ、いただきます。

(1) **解説** 冒頭のMay I help you?を文字通りに訳すと「お手伝いさせていただいていいですか？」になるが、問題文では、店員が客に「いらっしゃいませ」、「何かお探しですか」と話しかける表現で使われている。空所の後にサイズの話題が出ているので、商品名がわかるものがふさわしい。

ANSWER 2

選択肢訳
1 できますよ。
2 セーターを探しています。
3 その必要はありません。
4 それがあなたの義務です。

(2) **解説** 色の話題が出ていて、直前の会話で「ブルーのがありますよ」「いいですねえ」と続くので、**1**が最も自然な答えとなる。

ANSWER 1

選択肢訳
1 それ、いただきます。
2 私のおごりです。
3 私は元気です。／けっこうです。
4 終わりました。

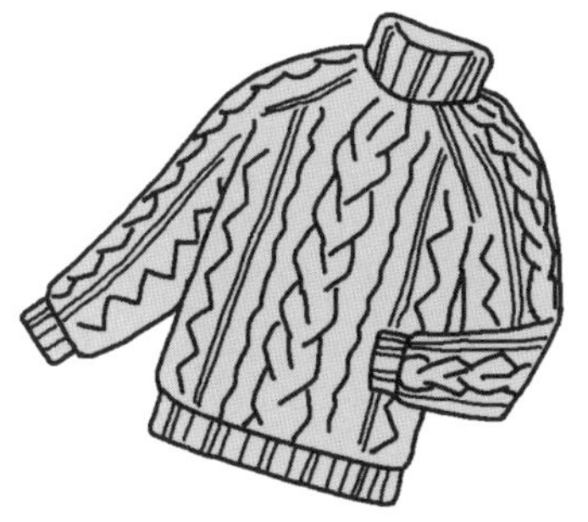

A：Bob, where are you?
B：I'm upstairs.
A：Hurry up. We're leaving.
B：OK, mom. (3).

(3) ☐
1 Leave it to me
2 I must be on my way
3 I'll be right down
4 That's a great idea

A：NNT communication. (4)?
B：I'd like to have my phone disconnected.
A：May I ask why?
B：Well , I'm moving to Osaka for a new job there.
A：All right. May I have your phone number, please?
B：Sure. 03-39XX-13XX
A：Thank you. Now (5)?
B：Tomorrow by seven a.m.

(4) ☐
1 Would you like to try this on
2 What do you do
3 May I help you
4 Can I have your name, please

(5) ☐
1 would you tell me when you connected this phone
2 when would you like us to do it
3 how long are you going to use this phone
4 when would you like me to call back

会話文の訳

A：ボブ、どこにいるの？
B：２階だよ。
A：急いで。出かけるわよ。
B：わかったよ、母さん。すぐに下へ行くよ。

(3) 解説 ボブの I'm upstairs.「２階にいる」という言葉と、Hurry up.「急ぎなさい」という母親の言葉から、**3**が適切。

ANSWER **3**

選択肢訳
1 私に任せてください。
2 すぐに行かなければなりません。
3 すぐに下へ行きます。
4 それはいいアイデアです。

会話文の訳

A：NNTコミュニケーションです。ご用件をおうかがいします。
B：電話の回線を切ってもらいたいんですが。
A：理由をお聞かせいただけますか。
B：就職のため、大阪へ引っ越すんです。
A：わかりました。電話番号をお知らせください。
B：ええ。０３－３９××－１３××です。
A：ありがとうございます。では、いつ外させていただきましょうか？
B：明日の午前７時までに。

(4) 解説 電話での会話だが、**A**と**B**の関係は会社と顧客になるので、店内での店員と客の会話をイメージしよう。ここでは、空所の後で**B**が自分の用件を答えていることから考える。

選択肢訳
1 試着されますか？
2 ご職業は何ですか？
3 ご用件をおうかがいします。
4 お名前をお願いします。

(5) 解説 答えがtomorrowで、将来のことなので**1**は不適。**3**は期間をたずねているので不適。**B**は電話番号を伝えているが、電話をしてほしいとは言っていないので、**4**も不適。回線の切断の日時を聞いている**2**が正解。

ANSWER **2**

選択肢訳
1 いつ電話を取りつけたか教えてください。
2 いつ切らせていただきましょうか？
3 どれぐらいこの電話をお使いになる予定ですか？
4 いつお電話いたしましょうか？

頻出度 B 会話文の文空所補充

A：Excuse me. Would you like a blanket?
B：(　6　).
A：Here you are.
B：Thank you.
A：Would you like anything else?
B：No, thank you. (　7　). By the way, how soon will we arrive?
A：We are scheduled to arrive at seven a.m. We have two more hours.
B：I see. Thank you.

(6) ☐
1 No, leave me alone
2 Yes, please
3 I don't need it
4 Just a moment

(7) ☐
1 I'm sleepy
2 I have mine
3 I'm fine
4 I have something

A：Do you like ice-skating?
B：I've never tried it.
A：Then you have to try it. Let's go to the skating rink on Friday.
B：(　8　).

(8) ☐
1 That's not my fault
2 OK. Let's
3 I'm sorry I didn't do it
4 Sorry, I have to go now

会話文の訳

A：失礼します。毛布はいかがですか？
B：ええ、いただきます。
A：どうぞ。
B：ありがとう。
A：ほかにご入り用のものはございますか？
B：いいえ、けっこうです。ところで、後どのくらいで到着しますか？
A：午前7時に到着の予定ですから、後2時間です。
B：わかりました。ありがとう。

(6) 解説 空所の直前の質問が「毛布はいかがですか？」で、後の言葉が「どうぞ」なので、**2**の応答が適切。

ANSWER **2**

選択肢訳
1 いいえ、一人にしてください。 **2** はい、お願いします。
3 必要ありません。 **4** 少々お待ちください。

(7) 解説 No, thank you. が前にあるので、丁寧に断る表現を選ぶ。**3**の表現はもともと「私は元気です／大丈夫です」の意だが、断るときに使うと、「大丈夫」、つまり「けっこうです」となる。直前の**A**の質問から、**2**のように断るのは不自然。

ANSWER **3**

選択肢訳
1 眠いんです。 **2** 自分のがありますから。
3 けっこうです。 **4** 何かを持っています。

会話文の訳

A：アイススケートは好きかい？
B：一度もやったことがないんだ。
A：じゃ、やってみなきゃ。金曜日にスケート場へ行こうよ。
B：うん、いいよ。

(8) 解説 Let's ～に対する答えとして、応諾の場合、「OK, let's.」「Yes, let's.」「Sure. All right.」などが考えられる。断る場合には「No, let's not.」「No, thanks.」「Not now, thanks.」などがある。選択肢の中では**2**が適切。

ANSWER **2**

選択肢訳
1 ぼくのせいじゃないよ。 **2** うん、いいよ。
3 それをしませんでした。 **4** すみません、もう行かなくちゃ。

column 2 基本的な対話文

挨　拶			
1A	How's it going?	**A**	元気ですか？
B	The same as usual.	**B**	変わりないよ。
2A	What's new?	**A**	何か変わったことない？
B	I ran into my old friend downtown yesterday.	**B**	昨日、旧友と町で会ったよ。
学校生活			
3A	Are you through with your homework?	**A**	宿題終わった？
B	No, not yet.	**B**	まだだよ。
4A	What does the exam cover?	**A**	試験の範囲は？
B	It covers pages 10 through 30.	**B**	10ページから30ページまでだよ。
5A	What club do you belong to in your high school?	**A**	高校では何のクラブに入っているの？
B	I belong to the Rakugo club.	**B**	落語クラブに入っているよ。
ファッション			
6A	David, you look nice in that red sweater.	**A**	デイビッド、赤いセーターが似合うね。
B	Thanks.	**B**	ありがとう。
7A	Are you fussy about what you wear?	**A**	あなたは服装にうるさい？
B	No, I don't care.	**B**	いいや、気にしないよ。
8A	Do you think this shirt will look good on me?	**A**	このシャツ似合ってる？
B	I don't think so. The color is not right.	**B**	そう思わないな。色がよくないよ。
スポーツ			
9A	What kind of sports are you interested in?	**A**	どのスポーツが好き？
B	I love soccer.	**B**	サッカーだよ。
10A	I don't like jogging.	**A**	ジョギングは嫌いなんだ。
B	Neither do I.	**B**	ぼくもだよ。
健　康			
11A	I have a terrible headache.	**A**	頭がひどく痛いんだ。
B	Let me get you some aspirin.	**B**	薬を持って来よう。
12A	My tooth is really bothering me.	**A**	歯が痛くて困っているんだ。
B	Oh, that's too bad.	**B**	お気の毒に。
13A	How are you feeling today?	**A**	今日、気分はどう？
B	I'm much better, thanks.	**B**	だいぶよくなったよ。ありがとう。
レストラン			
14A	How was the steak?	**A**	ステーキはどうだった？
B	Not as good as I expected.	**B**	期待していたほどでもないね。
15A	What is the pizza like?	**A**	ピザはどう？
B	It's OK.	**B**	まあまあだね。
16A	Have you made up your mind?	**A**	もう決めたかい？
B	Yes, I'll have spaghetti.	**B**	うん。スパゲティーをもらおう。
交通手段			
17A	What time is the next train to Tokyo?	**A**	次の東京行きの列車の時刻は？
B	It leaves in five minutes.	**B**	5分後に出発します。
18A	How long will it take to go there by bus?	**A**	バスでどれくらいかかりますか。
B	10 minutes or so.	**B**	10分くらいです。
電話での会話			
19A	Can I speak to Mrs. Smith?	**A**	スミスさんにつないでください。
B	She is on another line now. Hold on, please.	**B**	別の電話に出ています。 このままお待ちください。
A	Well, I'll call back later. Thank you.	**A**	では、後で電話します。ありがとう。

第3章

長文問題

Pre-2nd Grade

対策ポイント

長文問題

ある程度の長さの英文を読み、空欄に当てはまる語句を選ぶ語句空所補充（2問）と、英文の主題や内容を読み取り質問に答える内容一致選択（7問）で構成されています。

Point 1
まずタイトルを読む

まずタイトルを読んで、内容を予測しましょう。英文を目の当たりにすると、つい文章に目が行ってしまいがちですが、長文には必ずタイトルがついています。また、Eメールにも、アドレスが表示されている左上にSubject（用件）が載っているので、チェックしておきましょう。

Point 2
「内容一致選択」では問題文を先に読む

問題文に目を通すことで、長文のどこを読むべきか絞り込めます。長文の意味を100％理解しようとしても時間が足りなくなってしまいます。正解に到達するためには必要な箇所だけ理解すればいい、と考えましょう。

Point 3
文脈からわからない語句の意味を推測する

設問に関係ある箇所なら、前後をしっかり読んで語句の意味を推測することも必要です。比較的難易度の高い語句にはたいてい「言い換え」があるので、見逃さないようにしましょう。

Point 4
「語句空所補充」では文章の流れを理解する

文中の、❶〜❼のような語句に注目して、まずは文章の流れを理解しましょう。

❶ 追加情報を導く語句	and／furthermore／moreover／in addition「さらに、そして」など
❷ 反対の情報・意見を導く語句	but／yet／however「しかしながら」、in contrast〜「〜に対して」、on the other hand「一方」、although／while／despite／in spite of〜「〜にもかかわらず」、nevertheless「それでも、にもかかわらず」など
❸ 選択・条件を導く語句	otherwise「さもなければ」、or／if／unless「もし〜でなければ」など
❹ 例を導く語句	for example／for instance／e.g.／such as「たとえば」
❺ 結論・結果を導く語句	in conclusion「結論として」、to conclude／therefore「したがって」、consequently／as a result／after all「結果的に」など
❻ 要約を導く語句	in summary／in short「要約すると、簡単に言えば」など
❼ 順番を付ける語句	first「最初」、second「2番目」、third「3番目」、first of all「まず、最初に」、next「次に、次の」、before「〜の前」、after「〜の後」、last「最後に」、finally「最後に」など

Point 5
Eメールの定形表現を覚えておく

メールの左上にある、以下の項目が何を表しているかは知っておいた方がいいでしょう。

From：差出人。氏名が明確に記載されていることは少なく、ニックネーム、差出人のメールアドレスがほとんど
To：宛名
Date：メールを送った日付
Subject：用件。「Re」は、送られてきたメールへの「返信」を示す

長文の語句空所補充

次の英文を読み、その文意にそって（　　）に入れるのに最も適切なものを **1**、**2**、**3**、**4** の中から一つ選びなさい。

Meanings of Gestures

Gestures have different meanings in different cultures. One example is that in Japan, when we want to say, "Come here," we turn our palm down and move our fingers. However, in Western countries, this gesture（ **1** ）, that is to say, "Go away." Another example is that in Japan, we usually pat children on the head to praise them. On the other hand, in Islamic countries, touching another person's head is considered to be（ **2** ）. If we are not aware of these differences, we are likely to get into trouble or hurt the feelings of others. Especially when we are going to visit other countries which have different traditions from ours, we should understand their values in advance and try not to be misunderstood.

(1)
1 expresses a similar intention　**2** has quite the opposite meaning
3 means the same thing　**4** isn't used in a correct way

(2)
1 attractive and interesting　**2** rude and sometimes important
3 respectful and favorable　**4** impolite and insulting

My Grandfather's Birthday

Yesterday was my grandfather's 85th birthday. It was a huge event. My family and all my relatives gathered at my aunt's place to celebrate. There were so many of us that there（ **1** ）to sit down. Though 85 is quite old, my grandpa is still quite alert and healthy for his age, so he was able to move around and have fun with all his grandkids. With so many people we had to have a lot of food to feed them, and that's not easy. So, my aunts and mother（ **2** ）. But everything turned out fine, and we all had such a great time on my grandpa's special day.

(1)
1 was large space　**2** was hardly any room
3 was enough time　**4** were no food

(2)
1 had difficulty preparing meals　**2** spent a good time
3 were tired of the party　**4** enjoyed cooking dishes

(1) 解説 **1** expresses a similar intention「似たような意図を示す」**2** has quite the opposite meaning「まったく反対の意味を持つ」**3** means the same thing「同じことを意味する」**4** isn't used in a correct way「正しい方法で使われていない」。that is to sayは「言い換えると」という意味なので、come hereとgo awayの関係を説明しているものを選ぶ。

ANSWER 2

(2) 解説 **1** attractive and interesting「魅力的で興味深い」**2** rude and sometimes important「無礼で時に重要である」**3** respectful and favorable「尊敬できて好ましい」**4** impolite and insulting「無礼で侮辱的である」。on the other hand「一方で」という言葉に注目する。

ANSWER 4

訳 身ぶりの意味

身ぶりというのは異なる文化において異なる意味を持つ。その例の一つは、日本では、「こっちへ来て」というときに、手のひらを下に向けて指を動かす。しかしながら、西洋諸国においては、この身ぶりはまったく反対の意味を持つ。つまり、「あっちへ行け」という意味になるのである。もう一つ例を挙げると、日本では、子どもを褒めるために普通頭をなでる。一方、イスラム諸国においては、他人の頭に触れることは、無礼で侮辱的であるとみなされるのである。もし身ぶりにおけるこのような違いに気づいていなければ、トラブルに陥ったり、相手の感情を害したりする可能性がある。特に、私たちのものとは異なる伝統を持つ国を訪れようとするときには、その価値観を前もって学び、誤解をされないようにすべきである。

---

(1) 解説 **1** was large space「広い場所があった」**2** was hardly any room「ほとんど場所がなかった」**3** was enough time「十分な時間があった」**4** were no food「食べ物がなかった」。so ~ that…構文「あまりにも~なので…だ」から推測する。

ANSWER 2

(2) 解説 **1** had difficulty preparing meals「食事の準備に苦労した」**2** spent a good time「楽しんだ」**3** were tired of the party「パーティーにうんざりした」**4** enjoyed cooking dishes「料理を作るのを楽しんだ」。直前の「簡単ではない」と「だから」で結ばれているので**1**が正解。

ANSWER 1

訳 祖父の誕生日

昨日は私の祖父の85歳の誕生日でした。そしてそれは盛大なイベントでした。私の家族と親戚の全員がお祝いのために、私のおばの家に集まりました。あまりにも人数が多くて座る場所がほとんどありませんでした。85歳といえばかなりの年齢ですが、祖父は年齢のわりにまだ機敏で健康です。ですから孫たち皆と、動き回って楽しんでいました。それだけ人がいると、食事もたくさん用意しておかなければなりません。そしてそれは簡単なことではありません。だから、おばたちと母はその準備に苦労しました。しかし、すべてがうまくいき、私たちは皆、祖父の特別な日を満喫しました。

長文の語句空所補充

次の英文を読み、その文意にそって（　　）に入れるのに最も適切なものを**1**、**2**、**3**、**4** の中から一つ選びなさい。

The Carpool

If you live in America, and you go to a school that is a long distance from your house, why don't you join a "carpool"? Do you know about carpools? A carpool is a group of people who make a regular journey together in a single vehicle. Usually they take turns driving. It is popular among people in America because joining a carpool has two good points. One is that it (**1**), especially in the center of a big city where traffic is always heavy. The other is that it is environmentally friendly. If people share a single car, they can reduce the emission of CO_2, which (**2**). You should understand the merits of a carpool, and consider joining one as a means of transportation.

(1)
1 eases traffic jams　**2** makes the road busier
3 costs less than a bus　**4** takes less time than a train

(2)
1 saves gas　**2** saves money
3 slows global warming　**4** uses more natural resources

Beth's Hobby

Beth loves to read very much, so she reads (**1**). She enjoys reading mystery and romance novels, but her favorite is *National Geographic* magazine. Beth started reading *National Geographic* when she was 15, and since then she has been buying them regularly. Now she has piles of them under her bed. Reading books helps Beth learn about people, the world, and herself. Unfortunately, however, Beth's hobby (**2**). When Beth reads, she doesn't notice anything that is happening around her because she concentrates so hard on the book. Her mother often complains because Beth never puts her book down to set the table or help with other chores when asked.

(1)
1 few books in the library　**2** nothing but comic books
3 anything that seems interesting　**4** only books others recommend

(2)
1 broadens her horizons　**2** makes her intelligent
3 gives her some benefits　**4** sometimes gets her in trouble

(1) 解説 **1** eases traffic jams「交通渋滞を緩和する」**2** makes the road busier「道をより混雑させる」**3** costs less than a bus「バスよりも運賃が安い」**4** takes less time than a train「電車よりも時間がかからない」。値段や所要時間についての言及はないため**3**や**4**は不適切。

ANSWER **1**

(2) 解説 **1** saves gas「ガソリンの節約になる」**2** saves money「お金を節約する」**3** slows global warming「地球温暖化を抑制する」**4** uses more natural resources「天然資源をより多く使う」。whichは直前の節を指すので、「二酸化炭素の排出量が減ること」が原因で結果として起こる**3**が正解。

ANSWER **3**

訳 カープール

もしもあなたがアメリカに住んでいて、自宅からかなり離れた学校へ通うのなら、カープールを試してはどうでしょうか。カープールについて知っていますか。カープールとは、あるグループの人々がふだんの移動を1台の車で一緒に行うものです。普通、交代で運転します。カープールは二つの利点から、アメリカで人気があります。一つは、特に、いつも交通量の多い大都市の中心での、交通渋滞を緩和させるということです。そしてもう一つは、カープールは環境に優しいということです。人々が1台の車を共有すれば、二酸化炭素の排出を減らすことができ、地球温暖化を抑制します。カープールの利点を理解し、移動の手段として使うことを考えるべきです。

---

(1) 解説 **1** few books in the library「図書館の本はほとんど(読ま)ない」**2** nothing but comic books「漫画のみ」**3** anything that seems interesting「おもしろそうな本は何でも」**4** only books others recommend「他人が推薦する本のみ」。anythingは肯定文では「何でも」の意味になるので注意。

ANSWER **3**

(2) 解説 **1** broadens her horizons「彼女の視野を広げる」**2** makes her intelligent「彼女を知的にさせる」**3** gives her some benefits「彼女にいくらかの利益を与える」**4** sometimes gets her in trouble「たまに彼女にとって問題になる」。Unfortunatelyから、否定的な内容だとわかる。

ANSWER **4**

訳 ベスの趣味

ベスは読書がとても好きで、おもしろそうな本は何でも読みます。ミステリーやロマンスが好きですが、一番のお気に入りは『ナショナル・ジオグラフィック』という雑誌です。ベスが『ナショナル・ジオグラフィック』を読み始めたのは15歳のときで、それ以来定期的に買い続けています。今やこれらはベッドの下に山積みされています。読書はベスが人、世界、そして自分自身のことを学ぶ助けとなります。しかしながら、不幸にして、ベスの趣味のおかげで困ることもあります。ベスが読書をしているとき、彼女はあまりにも本に熱中しすぎるので、周りで起こっていることに全く気づきません。食卓の用意やほかの家事を頼まれても、ベスはいっこうに本を置かないので、彼女のお母さんはよく不平をこぼしています。

Eメールの問題

次の英文の内容に関して、質問に対して最も適切なもの、または文を完成させるのに最も適切なものを **1**、**2**、**3**、**4** の中から一つ選びなさい。

From: Sandy <sandy-york@firefly.com>
To: George <george-appleton@thinkmail.co.uk>
Date: September 8
Subject: Invitation to a party

Dear George,

How are you? It has already been two months since we last saw each other during our summer vacation. Our summer trip to Japan was really exciting, wasn't it? Kyoto was a really beautiful city, and had many wonderful temples and shrines. We also enjoyed shopping in Osaka. It was a great trip! Especially, my husband and I were very glad to see you and your brother, Richard.
Richard may have already informed you of my plan, but I am going to have a birthday party on Saturday for my husband, Phil. I would like you and Richard to come to the party!
By the way, may I ask a favor of you? I plan to have a barbecue. You have a barbecue set, don't you? I would really appreciate it if you could lend the set to me.
If it is OK for you, I want to come by and pick it up on Thursday afternoon, maybe around 3 p.m. Please let me know if that's convenient for you.
Either way, I am looking forward to seeing you and your brother at the party.

Cheers,
Sandy Smith

(1) What happened during the summer vacation?

1 Mr. and Mrs. Smith traveled to Japan with George and Richard.
2 Sandy held a birthday party for her husband.
3 Sandy wanted to visit Kyoto, but she couldn't.
4 Richard borrowed a barbecue set from George.

(2) What will Sandy do on Saturday?

1 She will go to see George and borrow a barbecue set.
2 She will have a birthday party.
3 She will prepare for a trip to Japan.
4 She will send an invitation to Richard.

(3) What is one thing Sandy writes about Richard?

1 She doesn't want him to come to the party.
2 She will see him in Japan this weekend.
3 She plans to travel with him.
4 She was happy to see him during summer vacation.

重要度 A

Eメールの問題 解答・解説

(1) 質問訳 夏休みに何があったか。

ANSWER 1

解説 夏休みに関する記述は2行目以降にある。日本の京都と大阪を旅行して楽しんだという記述と、ジョージと、兄のリチャードに会えてうれしかったという記述があるので正解は**1**となる。

(2) 質問訳 サンディーは土曜日に何をするつもりか。

ANSWER 2

解説 8行目にSaturdayとあるので、この語句をヒントにして答えを選ぶ。**1**のバーベキューセットを借りるのは木曜日なので不適切、**3**の日本旅行は夏休みにしたことなので不適切、**4**の招待状に関しては土曜日に送るという記述がないため不適切である。

(3) 質問訳 サンディーがリチャードに関して書いていることの一つはどれか。

ANSWER 4

解説 6行目で「リチャードに会えてうれしかった」とあることから答えは**4**とわかる。**1**に関しては本文で「ジョージとリチャードに来てほしい」と言っているので不適切、**2**について、旅行に行ったのは夏休みなので不適切、**3**についても、これから旅行するという記述はないので不適切。

訳

送信者：サンディー
受信者：ジョージ
受信日：9月8日
題名：パーティーへの招待

ジョージへ

お元気ですか。最後にお会いした夏休みの旅行からもう2か月になりますね。日本への旅行は本当に楽しかったですね。京都は本当に美しい街で、すばらしいお寺や神社がたくさんありました。大阪では買い物を楽しみましたね。すばらしい旅行でした。特に、夫も私もあなたとお兄さんのリチャードに会えてとてもうれしかったです。

リチャードがすでに私の計画をあなたに知らせてくれたかもしれませんが、土曜日に夫、フィルのバースデーパーティーを開く予定です。あなたとリチャードにぜひ来てもらいたいと思っています。

ところで、お願いをしてもいいですか。私はバーベキューをすることを計画しています。あなたはバーベキューセットを持っていましたよね。もしバーベキューセットを貸してもらえたらとてもありがたいのですが。

もしよければ、木曜日の午後3時ごろに取りに立ち寄りたいと思います。大丈夫かどうか教えてください。

いずれにしても、あなたとお兄さんにパーティーで会えるのを楽しみにしています。

ではまたね
サンディー・スミス

覚えておきたい単語・熟語

1 inform A to B　AにBを知らせる
2 would like A to do　Aにdoしてほしい
3 May I ask a favor of you?　お願いがあるのですが。
4 appreciate　感謝する
5 lend　貸す
6 come by　そばを通る、立ち寄る
7 pick up　取りに行く、取り上げる
8 Please let me know.　お返事をお聞かせください。
9 either way　いずれにしろ

重要度 A

Eメールの問題

From: Jonathan <margold@lemondale.com.au>
To: Laura <lightfoot@seaford.com.au>
Date: December 1
Subject: Winter Holidays

Dear Laura,

Hi, Laura. How are you? I'm looking forward to going to Bali with you during the winter holidays! Let's enjoy swimming in the sea and shopping!
Anyway, I'm writing this e-mail to inform you of some changes in our schedule. First, we had planned to meet each other at your place, and then go to the airport together. But unfortunately, I have to work that morning, so can we meet at the airport instead? Second, we planned to take a sightseeing tour and enjoy shopping in the center of Bali on the second day of our trip, but it has been put off until the next day. Is that OK with you? If there is any problem, please let me know.
Our trip will be wonderful! I can't wait!

See you soon.
Jonathan

(1) Why did Jonathan write this e-mail?

1 Because he wanted to notify Laura about some changes in their trip.
2 Because he wanted to ask if Laura was fine.
3 Because he wanted to inform Laura that the trip was canceled.
4 Because he wanted to apologize to Laura for delays.

(2) Where will Jonathan meet Laura on the day of their trip?

1 He will pick up Laura at her house.
2 Laura will be waiting for Jonathan at his workplace.
3 He will meet Laura at the airport.
4 They will meet each other in Bali.

(3) What will they do on the third day of their trip?

1 They will take a nap on the beach.
2 They will go sightseeing around the city of Bali.
3 They will enjoy swimming in the beautiful sea.
4 They will visit the travel agency to complain.

(1) Why does Mr. Sato plan to go to New Zealand?

☐
1 He wants to visit famous spots there.
2 He plans to study English.
3 He wants to make friends with Americans.
4 He plans to buy a house in New Zealand.

(2) Which is a characteristic of Queen's Academy?

☐
1 It doesn't take a lot of time to go to school from the city center.
2 It has experienced staff.
3 It is one of the most popular schools in New Zealand.
4 It has a friendly atmosphere.

(3) What is one thing we learn about home stay families?

☐
1 They are professional chefs.
2 They are familiar with Japanese cooking.
3 They live in a perfect location.
4 They have a lot of experience.

重要度 B

Eメールの問題 解答・解説

(1) 質問訳 サトウ氏はなぜニュージーランドに行くことを計画しているのか。

ANSWER 2

解説 英語を学ぶコースの説明と、ニュージーランドの生活に溶け込むためにホームステイをすることを述べたメールの内容から推測すると、答えは**2**となる。

(2) 質問訳 クイーンズ・アカデミーの特徴は何か。

ANSWER 1

解説 4行目のAs you will see, our school is perfectly located for easy access to all transport networks in Wellington. と5行目のIt is 10-minute commute from the city center. の2文から、通うのに便利だということが読み取れる。**1**「市の中心部から学校へ行くのにそれほど時間がかからない」が正解。ほかの選択肢については、少なくともこのEメールの中では述べられていない。

(3) 質問訳 ホームステイ先の家族についてわかることの一つはどれか。

ANSWER 4

解説 ホームステイ先の家族については、8行目以降に述べられている。**1**は記述がないため不適切、**2**は、ニュージーランドの料理に精通しているのであって日本料理にではないので不適切、**3**は、絶好の立地にあるのは語学学校なので不適切。

訳

送信者：クイーンズ・アカデミー
受信者：サトウ・ヒロシ
受信日：1月14日
題名：ご質問について

サトウ様

8週間英語集中コースについてお問い合わせくださいまして、ありがとうございます。最新のパンフレットと価格表を添付しております。

おわかりいただけると思いますが、私どもの学校は、ウェリントンのすべての交通網に簡単にアクセスできるたいへん便利な場所にございます。市の中心部からの通学時間は10分です。

さらに、あなたがニュージーランドの生活に慣れることができるようにホームステイプログラムも提供しています。ほとんどのホームステイ先は、長年にわたって私たちと仕事をしております。ホームステイ先では、伝統的なニュージーランドの家庭料理と居心地のよい雰囲気（環境）が提供されています。

もしホームステイの予約をご希望でしたら、添付したパンフレットの最後のページにある申込用紙にご記入のうえ、できるだけ早く64-4-765-87XXにファックスにてお送りください。

敬具

クイーンズ・アカデミー
海外学生カウンセラー
ピーター・ロバートソン

覚えておきたい単語・熟語

1 inquiry　問い合わせ、質問
2 intensive　集中的な
3 brochure　パンフレット
4 transport networks　交通網
5 commute　通学、通勤
6 integrate A into B　AをBに慣れさせる
7 atmosphere　雰囲気、空気
8 fill out　記入する
9 an application form　申込用紙、願書

重要度 B　Eメールの問題

From: Theodore <t.steckford@amail.com>
To: Nile Books <customer@nilebooks.com.uk>
Date: March 6
Subject: Order Number R674812

Dear Sir or Madam:

I am writing to you regarding a book (English Made Easy) I ordered from your company six weeks ago.

I sent my order to you on 24 January 20XX with my credit card and address details. Although the book has not arrived, I have noticed that your company has charged my account £25.64.

I would be grateful if you could look into this matter. In addition, please send me the book as soon as possible.

Yours sincerely,

Theodore Steckford

(1) Why did Mr. Steckford write this e-mail?

1 Because the company sent him the wrong book.
2 Because he was charged £25.64.
3 Because he wanted to cancel his order.
4 Because the book was damaged.

(2) Mr. Steckford also wants

1 to order another book as soon as possible.
2 to change his order immediately.
3 to order a credit card immediately.
4 to receive the book as soon as possible.

(1) **質問訳** なぜステックフォード氏はこのメールを書いたのか。 **ANSWER 2**

解説 4行目でthe book has not arrived「本はまだ到着していない」のに、I have noticed that your company has charged my account £25.64.「貴社から25.64ポンド請求されているのに気づきました」と書かれている。本文の最後に「早急に送ってほしい」とあり、キャンセルしようと考えているわけではないと推測できるので**3**は不適。また、**1**「間違った本が送られて来た」、**4**「本が傷んでいた」という内容も本文にない。

(2) **質問訳** ステックフォード氏は＿＿したい。 **ANSWER 4**

解説 本文の最後にあるsend me the book as soon as possible「できるだけ早く本を送ってほしい」から、to receive the book as soon as possible「できるだけ早く本を受け取りたいと考えている」が正しいと推測できる。

訳

送信者：セオドア
受信者：ナイル・ブックス
受信日：3月6日
題名：注文番号R674812について

拝啓

6週間前に貴社に注文いたしました書籍『English Made Easy』の件でご連絡しております。

20XX年1月24日に、私のクレジットカードと住所に関する情報を添えて注文いたしました。書籍はまだ到着しておりませんが、貴社から25.64ポンド請求されているのに気づきました。

この件に関して、調査していただければありがたく存じます。また、できるだけ早く書籍をお送りいただければと思います。

敬具

セオドア・ステックフォード

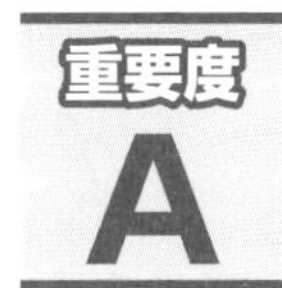

説明文の問題

次の英文の内容に関して、質問に対して最も適切なもの、または文を完成させるのに最も適切なものを **1**、**2**、**3**、**4** の中から一つ選びなさい。

The Great Wall of China

More than 2,000 years ago, the Chinese Emperor, Qin Shi Huang, began to link together several small walls in Northern China. His aim was to protect the Northern parts of the Chinese Empire from invasion by the Mongols. After around 10 years, a wall almost 5,000 kilometers long was completed. Almost 3 million people helped to build the wall. For many of them, it was a form of punishment. They were made to work because they committed some kind of crime. The work was very hard and harsh, and it is believed that more than 1 million people died during construction of the wall.

It is said that construction of the wall continued for a long period of time. The wall that we see today was built mainly during the Ming Dynasty (1368-1644). During that time, the wall was lengthened to 7,300 kilometers. In addition, they also constructed watchtowers at regular intervals along the wall.

In Chinese, the wall is called Wang-Li Chang Cheng, which means a 10,000 Li wall. Unfortunately, however, only 30 percent of this wall remains standing today. Much of it has fallen apart over time. Nevertheless, it is still the longest man-made structure in the world. It's even possible to see it from outer space.

In 1987, the United Nations made the Great Wall a World Heritage Site. Today it is a tourist destination for thousands of people every year. Many of the people who visit the wall are surprised to see its length. The Great Wall reflects the long history of China.

(1) Why was the wall originally constructed?

☐

1 To protect the country from invaders from other countries.
2 To punish people who committed a crime.
3 To invade Mongolia and take control over it.
4 To provide people with jobs and make them rich.

(2) What happened during the construction of the wall?

☐

1 Mongolia attacked China and conquered it.
2 The number of crimes increased.
3 Many people died because of the hard work.
4 The construction was interrupted many times.

(3) The length of the wall

☐

1 increased during the Ming Dynasty.
2 was the greatest when Qui Shi Huang was an emperor.
3 has never changed throughout its history.
4 is becoming greater and greater as years go by.

(4) What is true about the Great Wall?

☐

1 It belongs to the United Nations.
2 It can be seen from outer space.
3 It is the most popular tourist destination in China.
4 It still remains in its original form.

(1) 質問訳 その壁はもともとなぜ建設されたか。 ANSWER 1

解説 2行目に His aim was to protect the Northern parts of the Chinese Empire from invasion by the Mongols.「彼の目的は中国帝国の北部をモンゴル人の侵略から守ることでした」とある。よって選択肢の中では**1**の「他国の侵入者から自国を守るため」が正解となる。6行目に「建設に携わった人の多くが罰として働かされていた」とあるが、それがもともとの建設理由ではないので、**2**「罪を犯した人々を罰するため」は質問に的確に答えていない。**3**「モンゴルを侵略し、支配するため」は本文の内容と異なり、**4**「人々に仕事を与え、生活を豊かにするため」は本文で述べられていない。

(2) 質問訳 壁の建設中に何が起きたか。 ANSWER 3

解説 7行目に、建設中に多くの人々が過酷な労働で亡くなったという記述があるため、**3**が正解。**1**の「モンゴルが中国を攻撃し、征服した」という事実は描写されていない。**2**の「犯罪の件数が増加した」は記述がないため不適切。**4**の「建設は何度も中断された」は、記述がないため答えとしては不適切。

(3) 質問訳 壁の長さは____ ANSWER 1

解説 もともとの長さは4行目にあるように5,000キロメートルだったが、第2パラグラフに「明王朝のときには7,300キロメートルに延ばされた」と記されているので、**1** increased during the Ming Dynasty.「明王朝時代に長くなった」が正解。**2**「秦の始皇帝が皇帝だったときが最も長かった」、**3**「歴史を通じてまったく変化することはなかった」は上記の説明と異なる。また**4**「時が経つにつれてますます長くなってきている」については本文に記述がないので不適切である。

(4) 質問訳 万里の長城について正しいのはどれか。 ANSWER 2

解説 18行目に It's even possible to see it from outer space.「それは宇宙から見ることが可能」とある。ほぼ同じ意味の**2** It can be seen from outer space. が正解。**3**「中国で最も人気の高い観光客の目的地である」は、21行目に「毎年何千という観光客が訪れる」とあるが、中国で最も人気が高いとは記されていない。**4**「もともとの形で残っている」は、17行目に「多くはばらばらに崩れた」とあるので不適。

訳 万里の長城

2,000年以上前、中国の皇帝である「秦の始皇帝」は、中国北部におけるいくつかの小さな壁をつなぎ合わせる作業を始めました。彼の目的は中国帝国の北部をモンゴル人の侵略から守ることでした。約10年後、全長約5,000キロメートルにわたる壁が完成しました。300万近い人々がその建設にかかわりました。その人たちのほとんどにとって、それは一種の罰でした。彼らは何らかの罪を犯したために働かされていました。仕事はとても厳しく過酷で、壁の建設中に100万人以上が亡くなったそうです。

この壁の建設は長きにわたって継続されたと言われています。今日私たちが見ている壁は、ほとんどが明王朝（1368年～1644年）のときに建設されたものです。その間に壁は7,300キロメートルに延ばされました。さらに、壁に沿って等間隔に監視塔が建設されました。

中国語では、その壁は万里の長城と呼ばれていて、その意味は1万里の壁ということになります。しかしながら不幸にも、現在はこの壁のたった30%しか残っていません。多くは年月とともに、ばらばらに崩れてしまいました。それにもかかわらず、それは、いまだに世界で最も長い人工の建造物です。宇宙からでさえもその壁を見ることができます。

1987年に国連は、万里の長城を世界遺産に指定しました。今日、万里の長城は毎年何千という観光客の目的地となっています。この壁を訪れた多くの人々が、その長さを見て驚きます。この長い壁はまた、中国の歴史の長さをも反映しているのです。

覚えておきたい単語・熟語

1 protect　守る
2 invasion　侵略
3 complete　完成する
4 punishment　罰
5 commit a crime　罪を犯す
6 harsh　過酷な
7 construction　建設
8 mainly　ほとんど、おもに
9 lengthen　延長する、延ばす
10 in addition　さらに
11 regular　定期的な、規則的な
12 interval　間隔
13 unfortunately　不幸にも
14 fall apart　ばらばらに崩れる
15 structure　建造物
16 possible　可能な、できる
17 outer space　宇宙
18 destination　目的地

Elizabeth I

1603 marked the end of one of the most glorious periods in English history. On the 24th of March 1603, Queen Elizabeth the First died. During her 45 years as Queen, England was transformed from one of the poorest European countries into one of the richest and most powerful countries in the world.

Elizabeth was born the daughter of King Henry VIII and his second wife, Anne Boleyn, on the 7th of September 1533 in Greenwich, England. Her early life was uncertain due to religious and political problems at the time.

Upon the death of her half-sister, Queen Mary, in November 1558, Elizabeth, at the age of 25, became Queen. From this moment on, she decided never to marry and became known as the "Virgin Queen."

It was 1588 when England took the first step toward becoming a great power. The Spanish navy, then the most powerful in the world, was defeated off the coast of England. This victory was achieved under the steady leadership of Elizabeth. Because of this victory, Elizabeth was recognized as a powerful leader, and England became one of the major military powers in the world.

Elizabeth used this new military strength to establish colonies in the new world, one of which, Virginia, was named after her. She also transformed England into a great trading nation with companies in India, China, and the Americas. As the English became richer, they spent more on the arts. It was during this period that Shakespeare wrote his plays, many of which Elizabeth went to see at the Globe Theatre in London.

In time, England dominated one quarter of the globe. Eventually, English became the international language.

(1) The year 1603 is important because

☐
1 Elizabeth I died.
2 Elizabeth became Queen.
3 King Henry VIII died.
4 King Henry VIII got married.

(2) What is one thing that Elizabeth I never did?

☐
1 She never enjoyed watching plays.
2 She never made England a rich country.
3 She never established colonies.
4 She never got married.

(3) What happened when Queen Mary died?

☐
1 Elizabeth became Queen.
2 Elizabeth defeated the Spanish navy.
3 England became the poorest country in Europe.
4 England became the most powerful country in the world.

(4) What is true about Elizabeth I?

☐
1 She banned England from trading with China.
2 She made England one of the leading military powers in the world.
3 She was not interested in military forces.
4 She turned over 50% of countries in the world into colonies.

重要度 A 説明文の問題 解答・解説

(1) 質問訳 1603年は重要な年である。なぜなら____

ANSWER 1

解説 1603とある部分をチェックしよう。2行目に On the 24th of March 1603, Queen Elizabeth the First died.とあるので、「エリザベス1世が死んだ」ことがわかる。**2**「エリザベスが女王になった」のは異母姉のメアリー女王が死んだ1558年（10行目）。**3**のヘンリー8世の死、**4**のヘンリー8世の結婚については本文に記されていない。

(2) 質問訳 エリザベス1世が決してしなかったことは何か。

ANSWER 4

解説 質問はnever did「決してしなかった」ことを聞いているので、行ったことはすべて間違い。11行目の she decided never to marryから「決して結婚しなかった」ことがわかる。**1**は23行目に戯曲を見に行ったことが記されているので間違い。**2**「イギリスを裕福にした」は22行目に、**3**「植民地を開拓した」は19行目にそれぞれ書かれている。

(3) 質問訳 メアリー女王が死んだとき、どんなことが起こったか。

ANSWER 1

解説 10行目のUpon the death of her half-sister, Queen Mary, in November 1558, Elizabeth, at the age of 25, became Queen. から、エリザベスが女王になったことがわかる。**2**「エリザベスはスペイン艦隊を打ち破った」は、メアリー女王が死んだ1558年でなく、1588年のできごと。**3**「イギリスがヨーロッパで最も貧しくなった」、**4**「イギリスが世界で最も力を持った国になった」も、質問文にあるメアリー女王が死んだときと関係はない。

(4) 質問訳 エリザベス1世についてあてはまるのはどれか。

ANSWER 2

解説 16行目の最後の文を根拠として**2**の「イギリスを世界中で先導していく軍事大国の一つにした」が正解。**1**の「イギリスが中国と貿易をするのを禁止した」は、20行目に中国やアメリカと貿易をしたと書いてあるので不適切、**3**の「軍事力に興味はなかった」は19行目に軍事力を使ったとあるので不適切、**4**の「世界の国々の50％以上を植民地として支配した」は、26行目より植民地にしたのは4分の1の国なので不適切。

訳 エリザベス1世

1603年は、イギリス史上最も輝かしい時代の終えんとみなすことができます。1603年3月24日、エリザベス1世が亡くなりました。女王として君臨した45年間に、イギリスはヨーロッパで最も貧しい国家から、世界で最も裕福で強力な国家の一つとなりました。

エリザベスは、1533年9月7日、イギリスのグリニッジにおいて、国王ヘンリー8世と彼の2番目の妻、アン・ブーリンとの間に生まれた娘でした。彼女の若年期は当時の宗教的また政治的混乱のため、はっきりわかっていません。

1558年11月、彼女の異母姉、メアリー女王の死によって、エリザベスは25歳で女王になりました。この瞬間から、彼女は一生結婚しないことを決意し、「バージンクイーン」として知られるようになったのです。

イギリスが強国への一歩を踏み出したのは1588年でした。当時世界で最も強力であったスペイン艦隊がイギリス沿岸で敗退しました。この勝利は、エリザベスの堅実なリーダーシップの下で成し遂げられたことでした。その勝利によって、エリザベスが力のある指導者として認められ、イギリスは世界の主要な軍事大国の一つになりました。

エリザベスは新世界での植民地開拓を行うために、この新しい軍事力を利用しました。そうした植民地の一つ、バージニアは彼女にちなんで名づけられました。また、彼女はインド、中国、アメリカにおける会社設立によって、イギリスを一大貿易国家に変貌させました。イギリス人は、裕福になるにつれて美術に、より多くのお金を使うようになりました。シェイクスピアが戯曲を書いたのはこのころでした。エリザベスも、多くの戯曲を見にロンドンのグローブ劇場へ行きました。

やがてイギリスは、世界の4分の1を支配するに至りました。そしてついに、英語は国際語となったのです。

覚えておきたい単語・熟語

1 glorious　輝かしい
2 period　期間
3 be transformed　変化する
4 due to ～　～のために
5 religious　宗教上の
6 be defeated　負ける
7 victory　勝利
8 steady　堅実な
9 military　軍隊の
10 establish ～　～を確立する
11 colony　植民地
12 be named after ～　～にちなんで名づける
13 dominate　支配する

重要度 B

説明文の問題

次の英文の内容に関して、質問に対して最も適切なもの、または文を完成させるのに最も適切なものを **1**、**2**、**3**、**4** の中から一つ選びなさい。

World Food Programme

There are so many people who are suffering from hunger. It is reported that about 805 million people all over the world don't have enough food. In other words, one out of nine people in the world are undernourished. According to statistics, five million children under the age of five die of hunger per year in developing countries. This is a serious problem around the world.

To improve the present situation, an organization in the United Nations has begun to take action. A program called World Food Programme, which is sometimes shortened to WFP, was created. WFP aims to give children all over the world a nutritious school lunch every day. In some areas, breakfast is served at school instead of lunch. In other areas, some snacks such as nutritious biscuits are served. Now, WFP provides about two million children in 60 countries with nutritious food.

WFP is very helpful in many ways. Providing food of course helps children avoid becoming malnourished. In turn, eating good food helps children concentrate better on studying. They can study effectively and efficiently, and if they absorb more knowledge, it will surely help them live a better life in the future. WFP helps not only children but their families. If children go to school and study hard, they can get food for their family members as well. This means that parents can benefit by sending their children to school.

In addition, WFP is designed to help girls go to school. Girls are given more food than boys, and can take more food back to their family. Why is this program designed in this way? The answer is to raise the rate of girls who go to school. Many families in the developing world are unwilling to send girls to school because girls are expected to work and help their families. To better this situation, and give girls equal opportunity to study, WFP has decided to give more food to girls.

(1) What is true about the problem of hunger in the world?
☐
1 Hunger is a serious problem only in developing countries.
2 About five million people are suffering from hunger all over the world.
3 No solution has yet been found to solve the problem of hunger.
4 One out of nine people in the world are malnourished.

(2) The World Food Programme
☐
1 contributes to solving the problem of hunger.
2 serves nothing but school lunches.
3 will start in the near future.
4 is not related to the United Nations.

(3) What is one way WFP is helpful for children in the developing countries?
☐
1 WFP offers good teachers and tries to improve the quality of the classes.
2 WFP encourages children to work very hard and earn a lot of money.
3 WFP helps children to be well nourished and concentrate on studying.
4 WFP wants all family members to attend classes.

(4) WFP gives girls more food because
☐
1 they want many girls to attend classes and study more.
2 the number of girls is smaller than that of boys.
3 many parents are willing to send their girls to school.
4 girls are more intelligent and useful in the labor force.

重要度B 説明文の問題 解答・解説

(1) 質問訳 世界の飢餓問題について正しいのはどれか。

ANSWER 4

解説 3行目を根拠として**4**「世界の9人中1人が栄養不足である」を選ぶ。**1**の「飢餓は発展途上国でのみ深刻な問題である」は、世界中の問題であるので不適切、**2**の「およそ500万人が世界中で貧困に苦しんでいる」は4行目に500万という数字があるが、これは途上国において栄養不足で亡くなる子どもの数であるので不適切、**3**の「飢餓問題を解決するための解決策はまだ見つかっていない」は記述がないため不適切。

(2) 質問訳 世界食糧計画は＿＿

ANSWER 1

解説 WFPの説明とその取り組みについては7行目以降を参照すると、国連の機関であり、世界中の子どもたちに学校給食を提供することを目的としているとあるので、**1**の「飢餓問題の解決に貢献している」が正解。**2**の「学校給食のみを提供している」は、給食だけではなく、朝食の提供やビスケットなどの軽食の提供もあると書いてあるため不適切、**3**の「近い将来始まるだろう」は、すでに始まっていることなので不適切、**4**の「国際連合とは関係がない」は国際連合の一組織であるため不適切。

(3) 質問訳 WFPが発展途上国の子どもたちにとって役に立っている点の一つはどれか。

ANSWER 3

解説 15行目以降にWFPが役立っている具体例が挙げられている。その内容をまとめると、栄養をしっかりとれることで勉強に集中できるし、学校へ通う子どもには家族分の食糧を与えることで家族の栄養改善にも貢献しているということである。**3**の「WFPは子どもたちが十分な栄養をとれ、勉強に集中できるよう手助けしている」が適切。**1**の「WFPはよい教師を提供し、授業の質を高めようとしている」**2**の「WFPは子どもたちに一生懸命働き、たくさんお金を稼ぐように促している」**4**の「WFPは家族全員が授業に参加することを望んでいる」は本文に記述がないので不適切。

(4) 質問訳 WFPは少女たちに多くの食糧を与えている。なぜなら＿＿

ANSWER 1

解説 23行目から、WFPは少女に対してより多くの食糧を与えることで、少女を学校に通わせることに消極的な傾向を改善しようとしていることがわかる。従って、**1**の「たくさんの少女に授業に参加しもっと勉強してほしいと思っているから」が正解。**2**の「少女の数は少年の数よりも少ないから」**3**の「多くの両親は少女を学校へ進んで通わせているから」**4**の「少女はより賢く、労働力として役に立つから」は本文に記述がないので不適切。

訳 世界食糧計画

飢餓に苦しんでいる人々がとてもたくさんいます。世界中のおよそ8億500万人が十分な食べ物を得られていないと報告されています。これはつまり、世界中で9人に1人が、栄養不足だということになります。統計によると、発展途上国の5歳以下の500万人の子どもたちが、毎年飢餓で亡くなっています。これは世界中で深刻な問題となっています。

この現状を改善するために、国連の組織が行動を起こし始めました。世界食糧計画と呼ばれるプログラム、そしてそれはWFPと短縮されることがあるのですが、このプログラムがつくられました。WFPは世界中の子どもたちに、栄養価の高い学校給食を毎日提供することを目標としています。学校給食ではなく、学校朝食を提供する地域もあります。また、ビスケットのような、栄養価の高い軽食を提供する地域もあります。今、WFPは60の国々のおよそ200万人の子どもたちに、栄養のある食べ物を提供しています。

WFPは多くの点で非常に役立っています。食べ物を提供することは子どもたちが栄養失調に陥るのを避けることができます。そして、十分な食べ物を食べることは、子どもたちをより勉強に集中させることにつながります。彼らは効果的にそして効率よく勉強することができます。そして、もしもよりたくさんの知識を吸収すれば、それは将来よりよい生活を送る助けにきっとなります。WFPは子どもたちだけでなく、その家族もまた助けています。もしも子どもたちが学校に通って一生懸命勉強すれば、彼らは家族の分の食糧も持ち帰ることができます。それはつまり、両親も、子どもを学校に行かせることで利益を得られるということです。

加えて、WFPは、少女たちが学校へ通うのを助けるようにと計画されています。少女たちは少年たちより多くの食べ物を与えられ、家族により多くの食べ物を持ち帰れます。なぜこのプログラムはこのように計画されているのでしょうか。その答えは、少女たちの通学率を向上させるためです。発展途上国の多くの家族は、少女たちを学校に行かせることに消極的です。なぜなら、少女たちは働いて家族を助けるよう期待されているからです。この状況をよくするために、そして少女たちに等しい学習機会を与えるために、WFPは少女たちにより多くの食べ物を与えることに決めたのです。

覚えておきたい単語・熟語

1 suffer from ～　～に苦しむ
2 undernourished　栄養不足の、栄養失調の
3 statistics　統計
4 improve ～　～を改善する、向上させる
5 fall　～の状態に陥る
6 concentrate　集中する
7 effectively　効果的に
8 efficiently　能率的に
9 absorb ～　～を吸収する
10 be designed to ～　～するよう計画されている
11 be unwilling to ～　～するのに気が進まない
12 equal　平等な、等しい

column 3 長文問題に出る単語・熟語

わからなかった語は☐に印をつけ、しっかり復習しておきましょう。

☐	alert	機敏な	☐	away from ～	～から離れて
☐	break	休暇、壊す	☐	come from ～	～の出身である
☐	celebrate	お祝いする	☐	enough to be able to ～	～できるのに十分な
☐	cheek	頬	☐	even more ～	さらに～も
☐	complain	不平を言う	☐	even though ～	たとえ～でも
☐	concentrate	集中する	☐	everyday situation	日常茶飯事
☐	concern ～	～に関係がある	☐	for a while	しばらく
☐	defend ～	～を防ぐ・守る	☐	for example	例えば
☐	disappear	見えなくなる	☐	get rid of ～	～を取り除く
☐	discover	発見する、気づく	☐	hand on ～	～を手渡す
☐	express	伝える	☐	have fun	楽しむ
☐	feed ～	～に食べ物を与える	☐	look forward to ～	～を楽しみにする
☐	grandkid	孫	☐	move around	動き回る
☐	habit	習慣	☐	no longer ～	もはや～でない
☐	hardly ～	ほとんど～ない	☐	once in a while	時どき
☐	huge	巨大な	☐	pick up	迎えに行く、拾う
☐	idea	考え	☐	piles of ～	山積みの～
☐	improve ～	～を改良する	☐	quite a lot	かなり多くの
☐	leader	指導者	☐	say hello to ～	～によろしく
☐	luckily	幸運にも	☐	seem to ～	～するように思われる
☐	organize ～	～を組織する·準備する	☐	since then	それ以来
☐	purchase ～	～を購入する	☐	sorry about ～	～してすみません
☐	relative	相対的な、親戚	☐	spend ～ on …	～を…に使う
☐	seemingly	見たところ、うわべは	☐	surrounded by ～	～に囲まれて
☐	simply ～	単に、ただ～だけ	☐	turn out ～	～であることがわかる
☐	suggestion	提案	☐	under guaranty	保証期間中
☐	therefore	それゆえ、したがって	☐	Isn't it great that ～	～はすごくないですか
☐	unfortunately	不運にも、不幸にして	☐	Best wishes,	ご多幸を祈って
☐	worth ～	～の価値がある	☐	Best regards,	敬具
☐	a whole week	丸１週間	☐	Take care,	元気で
☐	all in one	一体型	☐	Yours sincerely,	敬具

第4章

ライティングテスト

Pre-2nd Grade

対策ポイント Eメール

提示された英文のＥメールを読み、示された条件に合う内容の英文を、返信メールの形式でまとめます。相手の質問に答えるだけでなく、相手のメールの内容をよく理解し、こちらから具体的に二つの質問をするという点が、３級のライティングテストの形式とは異なります。

語数の目安は 40 ～ 50 語で、解答時間の目安は 15 分です。

攻略方法

Point 1
問題の指示と英文をよく読もう

準２級のEメール問題では、「下線部の特徴を問う具体的な質問を２つする」「相手の質問に答える」という複数の指示があります。語数の目安に届くよう、あるいは語数の目安に収まるようにしながら、この指示を守らなければなりません。そのため、ある程度見通しを立ててから書き始めることが大切です。

一度書き終わってから「質問が足りない」「メールの文として不自然」「相手の質問内容を勘違いしていた」などに気がついても、書き直す時間がなかったり、続く「意見論述」の解答時間が足りなくなったりする可能性があります。きちんと指示と英文を読んで、慌てずに解答を組み立てましょう。

Point 2
メールとして不自然ではないか確認しよう

返信メールとして不自然になっていないか注意しましょう。例えば、問題の指示である二つの質問や相手の質問に対する返答から書き始めると、文法上正しくても、メールの返信としては不自然になります。最初の一文は、相手のメールに書かれていることに対する感想や挨拶などから書き始めるとよいでしょう。

I'm surprised that ～.「～(ということ)に驚きました。」や I'm glad that ～.「～(ということ)を嬉しく思います。」、It sounds fun.「おもしろそうですね。」などの言葉を覚えておきましょう。

Point 3

系統の違う質問をしよう

この問題では、「Eメール文中の下線部について、あなたがより理解を深めるために、下線部の特徴を問う具体的な質問を２つしなさい」と指示されています。これは、質問文をただ二つ書けばよいということではありません。質問文を二つ書いても、似たような内容であれば、一つの質問とみなされてしまい、指示を満たしていないと判断される可能性があります。そのため、違う系統の質問を二つ書く必要があります。普段からニュースなどのさまざまな話題に触れて、いろいろなタイプの質問ができるようにしておくようにしましょう。

Point 4

相手の質問に答えよう

相手のメールに書かれている質問に対する答えを書きます。ただ答えを書くのではなく、メールの返信文として自然な文脈になるように意識して、About your question,「あなたの質問について」や To answer your question,「あなたの質問に答えると」、In response to your question,「あなたの質問に対して」などを付け、何に対して答えているのかはっきり示すとよいでしょう。

質問に対する返答や意見を書いたら、語数の目安（40～50語）に収まるように、残りの語数で内容を補足します。このとき、メールの話題とは違うことを書かないように気をつけましょう。指示文にもあるように、Eメールに対応していないと判断された場合、０点と採点されることがあります。前の文の流れに沿うように、情報を付け足しましょう。

Point 5

文法や文例を覚える

難しい単語や複雑な文法をあえて使う必要はありません。返信メールを受け取る相手に、誤解なく伝わる文になるように意識しましょう。

基本的な英文法や語彙を理解して、いつでも使えるようにしておくことが大切です。単に文法や語彙を暗記するのではなく、たくさんの文例を読むことで、具体的な使い方を覚えておきましょう。

Eメール

●あなたは、外国人の知り合い（John）から、Eメールで質問を受け取りました。この質問にわかりやすく答える返信メールを、□に英文で書きなさい。

●あなたが書く返信メールの中で、JohnのEメール文中の下線部について、あなたがより理解を深めるために、下線部の特徴を問う具体的な質問を２つしなさい。

●あなたが書く返信メールの中で□に書く英文の語数の目安は40～50語です。

●解答がJohnのEメールに対応していないと判断された場合は、０点と採点されることがあります。JohnのEメールの内容をよく読んでから答えてください。

●□の下のBest wishes, の後にあなたの名前を書く必要はありません。

Hi!

These days I love reading e-books on my tablet. E-books are very convenient because many kinds of books are inside my tablet. So, if I carry my tablet, I can read many books anywhere and anytime! It is easier for me to carry my tablet than to carry many heavy books. I can't think of any bad points about e-books. Do you think paper books will be replaced by e-books in the future?

Your friend,
John

Hi, John!

Thank you for your e-mail.

解答欄に記入しなさい。

Best wishes,

問題文訳

やあ！
最近、タブレットで電子書籍を読むことが大好きなんだ。電子書籍はすごく便利だよ。なぜならたくさんの種類の本がぼくのタブレットの中に入っているんだからね。だからタブレットを持ち運べば、いつでもどこでもたくさんの本が読めるんだ。たくさん重い本を持ち歩くよりもタブレットを持ち歩く方が楽だしね。電子書籍の悪いところが思いつかないよ。将来、紙の本は電子書籍にとって代わられると思う？
あなたの友人、
ジョン

こんにちは、ジョン！
メールをありがとう。
解答欄に記入しなさい。
それじゃあ、また。

文章構成

① 一つ目の質問

（例）How many e-books do you have in your tablet?
「タブレットに何冊の電子書籍を入れていますか。」

② 二つ目の質問

（例）What is your favorite e-book?
「あなたのお気に入りの電子書籍は何ですか。」

解答例

E-books are good for you because you like reading. How many e-books do you have in your tablet? What is your favorite e-book? About your question, I don't think paper books will disappear. Many people will choose paper books because they don't have to be charged. I prefer paper books. (50語)

解答例訳 あなたは読書が好きだから、電子書籍はあなたにとっていいものだね。タブレットに何冊の電子書籍を入れているの？ お気に入りの電子書籍は何？ あなたの質問についてだけど私は、紙の本はなくならないと思うな。多くの人々が、充電の必要がないから、紙の本を選ぶよ。私は紙の本の方が好き。

解説 e-booksという単語がわからなくても、タブレットに入っているということや、紙の本との比較から「電子書籍」と推測できる。「紙の本よりも安いのか」「紙の本のすべてが電子書籍に入っているのか」など、電子書籍と紙の本を比較しながら質問を考えるとよい。紙の本がなくなるかどうかという質問については、「紙という資源を使わなくていいので環境によい」など、環境問題の観点から答えることや、「充電が切れたら読めなくなる（You cannot read e-books when your tablet runs out of battery.）」など、電子書籍の欠点について考えてみることから根拠を探すことができる。

重要度 A

Eメール

- あなたは、外国人の知り合い（Judy）から、Eメールで質問を受け取りました。この質問にわかりやすく答える返信メールを、[　　]に英文で書きなさい。
- あなたが書く返信メールの中で、JudyのEメール文中の下線部について、あなたがより理解を深めるために、<u>下線部の特徴を問う具体的な質問を2つしなさい</u>。
- あなたが書く返信メールの中で[　　]に書く英文の語数の目安は40～50語です。
- 解答がJohnのEメールに対応していないと判断された場合は、<u>0点と採点されることがあります</u>。JudyのEメールの内容をよく読んでから答えてください。
- [　　]の下のBest wishes, の後にあなたの名前を書く必要はありません。

Hello!

Last month, <u>an international student</u> came to our class! She will be here for a year and study with us. I'm so excited because we have a good chance to learn cultures of her country. She likes cooking, and she will teach us how to make a famous dish in her country. Also, we are planning to make a presentation on cultures and traditions of our country. Do you want to study abroad?

Your friend,
Judy

Hi, Judy!

Thank you for your e-mail.

[解答欄に記入しなさい。]

Best wishes,

問題文訳

こんにちは！
先月、留学生が私たちのクラスにやって来たの！ 彼女は1年間滞在して私たちと一緒に勉強するのよ。私はすごく興奮しているわ。だって私たちは彼女の国の文化を学べるすばらしい機会を得られるのだもの。彼女は料理が好きで、彼女の国の有名な料理の作り方を私たちに教えてくれることになっているのよ。それから私たちは、私たちの国の文化と伝統についてのプレゼンテーションをしようと計画しているの。あなたは留学したいと思う？
あなたの友人、
ジュディ

こんにちは、ジュディ！
メールをありがとう。
解答欄に記入しなさい。
それじゃあ、また。

文章構成

① 一つ目の質問

（例）Where is the student from?
「その生徒の出身はどちらですか。」

② 二つ目の質問

（例）Do you know what her hobby is?
「彼女の趣味が何であるか知っていますか。」

解答例

I'm sure it's interesting to learn about foreign cultures. Where is the student from? Do you know what her hobby is? About your question, I'd like to study abroad. One of my goals is to study art in France. I have been studying French for two years for that purpose. (50語)

解答例訳 外国の文化を学ぶのは間違いなくおもしろいね。その生徒の出身はどこ？ 彼女の趣味は何か知っている？ 君の質問についてだけど、ぼくもぜひ留学したいよ。実はぼくの目標の一つはフランスで美術を勉強することなんだ。そのために、2年間フランス語を勉強しているんだよ。

解説 出身国、好きな食べ物、趣味、好きな科目、興味のあることなど新しい友人に尋ねるつもりで質問を考えるとよいだろう。「留学してみたいか」という質問については、「したい」と思う場合には、「どの国に何の目的で留学してみたいか」をできるだけ具体的に考えてみよう。「したくない」と思う場合には、「なぜしたくないのか」を具体的に考えてみよう。「費用が高いから（I don't want to study abroad because it costs too much.）」、「日本にいても自分の学びたいことが学べるから（I can learn whatever I want even in Japan, so I don't want to study abroad.）」など、理由を一つ述べるようにしよう。

重要度 A
Eメール

●あなたは、外国人の知り合い（Emily）から、Eメールで質問を受け取りました。この質問にわかりやすく答える返信メールを、□に英文で書きなさい。

●あなたが書く返信メールの中で、EmilyのEメール文中の下線部について、あなたがより理解を深めるために、下線部の特徴を問う具体的な質問を2つしなさい。

●あなたが書く返信メールの中で□に書く英文の語数の目安は40～50語です。

●解答がEmilyのEメールに対応していないと判断された場合は、0点と採点されることがあります。EmilyのEメールの内容をよく読んでから答えてください。

●□の下のBest wishes, の後にあなたの名前を書く必要はありません。

Hello!

My grandmother bought an electric bicycle last week. She is 70 years old and says it's getting harder for her to ride a bicycle to go shopping. She lives far away from the town, so she has to ride for 20 minutes to go to the nearest supermarket. Now she has an electric bicycle, and she can ride farther and faster without getting tired. Do you think electric bikes will be more popular?

Warm regards,
Emily

Hi, Emily!

Thank you for your e-mail.

解答欄に記入しなさい。

Best wishes,

問題文訳

こんにちは！
私のおばあちゃんが先週、電動自転車を買ったの。おばあちゃんは70歳で、買い物に行くのに自転車に乗るのが難しくなってきていると言っているの。彼女は街から離れたところに住んでいて、最寄りのスーパーに行くのに20分自転車に乗らないといけないのよ。今、電動自転車を手に入れたから、おばあちゃんは疲れずにより遠くまで、より速く行くことができるわ。電動自転車はこれからもっと普及すると思う？
心をこめて、
エミリー

こんにちは、エミリー！
メールをありがとう。
解答欄に記入しなさい。
それじゃあ、また。

文章構成

① 一つ目の質問

（例）Is the bike heavy?
「その自転車は重いですか。」

② 二つ目の質問

（例）And what color is it?
「そして、何色をしていますか。」

解答例

It's nice for your grandmother to get an electric bike! Is the bike heavy? And what color is it? About your question, I think electric bikes will be more popular not only among older people but also among younger people because electric bikes are better for the environment than cars.（50語）

解答例訳 おばあちゃんが電動自転車を手に入れられてよかった！ その自転車は重いの？ そして何色をしているの？ あなたの質問についてだけど、私は、電動自転車はお年寄りの間だけではなく、若い人々の間でも、もっと普及すると思う。電動自転車は、車よりも環境にとってよいものだから。

解説「普通の自転車に比べて値段は高いのか」「どこで買ったのか」「かごがついているのか」など、難しく考えずに、自分の知っている語彙で書けるような質問を考えてみよう。「電動自転車が普及するか」という問いに対しては、環境問題の観点から、自動車よりも環境にやさしいという点や、一人暮らしのお年寄りが増えている現状をふまえ、車を持たないお年寄りにとって助けとなるという点などで書くことができる。「環境にやさしい」は、解答例では better for the environmentとしたが、environmentally「環境的に」を用いた environmentally friendlyという表現もあるので覚えておこう。

対策ポイント 英作文（意見論述）

試験ではリスニング、リーディング、ライティングの問題数に関係なく、各技能にスコアを均等に配分しています。そのため、1問の配点が大きいライティングをどう攻略するかが、英検合格のカギになります。

意見論述の語数の目安は50～60語、解答時間の目安は20分です。じっくりと時間をかけて、ミスがないようにしましょう。

攻略方法

Point 1
採点の観点をおさえよう

❶内容：課題で求められている内容が含まれているか

自分の意見と、その理由二つを明確にしましょう。逆の意見を支持する立場などは書かないようにし、一つの意見に絞って書くことが大切です。
また、説得力のある理由を書くことも大切です。例えば、「子どもの携帯電話の使用」に賛成する場合、単純に「便利だから」と書くのではなく、「いつでも両親と連絡が取れて便利だから」のように、具体的な例を挙げましょう。

❷構成：英文の構成や流れがわかりやすく、論理的か

意見や理由と関係のない情報は書かないようにしましょう。接続詞などの展開を示す表現を使うと文の流れがわかりやすくなり、効果的です。

❸語彙：課題に相応しい語彙を、正しく使えているか

単語の綴りや意味が正しいか確認しましょう。英語以外の言葉を使いたいときや単語がわからないときは、説明を添えたり、言いかえたりします。
「北海道は観光地が多い」と書きたいのに、sightseeing spot「観光地」という単語がわからないときは、There are many places to see in Hokkaido. と、「観光地」を「見るべき所」のように言いかえてみればよいのです。

❹文法：文構造のバリエーションやそれらを正しく使えているか

同じような文のくり返しにならないようにしましょう。また、文単位で書くことを意識し、Because it is nice.のように不完全な文を書かないように気をつけましょう。また、単語の短縮形は避け、できるだけ使わないようにしましょう。

Point 2
定型文を覚えて自分流にカスタマイズしてみよう

主張を述べるときはよく I think that ～.「～と思う」や I do not think that ～.「～とは思わない」が使われるように、英語では、意見の書き方に型があります。

基本例文を覚えて、自分流にアレンジするとよいでしょう。

Point 3
書きやすい立場で書こう

内容に注視しすぎると、肝心の英文を書く時間が少なくなってしまいます。賛成か反対か書き出す前に、まずは理由が二つ書けそうかどうかを考えましょう。

あらかじめ頻出テーマをおさえて、いくつか理由を用意しておくと、スムーズに書き進められます。

頻出テーマ	
1	ある事柄について、重要（よい）かどうかを聞く質問
2	いくつかの選択肢から好きなものを聞く質問
3	ある事柄について、するべきかどうかを聞く質問

Point 4
自信をもって書ける単語や文法を使おう

複雑で難しい単語や文法を用いる必要はありません。簡単なものでいいので、時制は正しいか、名詞の単数・複数形、不定冠詞や定冠詞を忘れていないかなどに注意して、正しい文を書くことを心がけましょう。

対策ポイント 英作文（意見論述）

基本の解答の書き方を覚えよう！

●あなたは、外国人の知り合いから以下のQUESTIONをされました。

●QUESTIONについて、あなたの意見とその理由を２つ英文で書きなさい。

●語数の目安は50 ～ 60語です。

QUESTION
Do you think it is important for children to play sports at school?

解答例

I think that it is important for children to play sports at school.（結論） First, children need exercise to be healthy.（理由①） If children play sports like basketball, they get lots of exercise. Second, children can make friends by playing sports.（理由②） When I was on the basketball club, I used to practice with my teammates every day. We are all friends now.

［60語］

質問例訳

子どもたちが学校でスポーツをすることは重要だと思いますか？

解答例訳

私は、子どもたちが学校でスポーツをすることは重要だと思います。一つ目は、子どもたちが健康でいるためには運動が必要だからです。バスケットボールのようなスポーツをすれば、子どもたちはたくさんの運動をすることができます。二つ目は、スポーツをすることで友だちができることです。私がバスケットボールのクラブにいたとき、毎日チームメートと一緒に練習をしていました。今ではみんな友だちです。

Point 1
文章の構成は「結論」→「理由①」→「理由②」とする

日本語の文章では最初に理由を述べて、最後に「だから～です」とまとめることが多いですが、英語の文章では先に結論を述べて、後に理由を付け加えます。

いくつか理由を考え、その中から表現しやすいものを二つ選んで書きましょう。

【結論】I think that it is important for children to play sports at school.
「私は、子どもたちが学校でスポーツをすることは重要だと思います」
【理由①】First, children need exercise to be healthy.
「一つ目は、子どもたちが健康でいるためには運動が必要だからです」
【理由②】Second, children can make friends by playing sports.
「二つ目は、スポーツをすることで友だちができることです」

最後に、もう一度結論を述べてもよいでしょう。英文は同じ表現を避けることが多いので、もう一度同じ考えを述べる場合は、始めに使った表現とは異なる表現を用いましょう。

Point 2
理由は四つの視点で考えてみよう

「理由」を考える際は、次の四つの視点から考えてみるとアイデアが浮かびやすくなります。

❶五感（視覚、聴覚、嗅覚、味覚、触覚）
The trees look beautiful in spring.「春には木々が美しく見える」
Coffee smells good.「コーヒーはよい香りがする」

❷そこに「ある」もの、それが「持っている」もの、そのものの「性質」
There are many hot springs in Oita.「大分には多くの温泉がある」
Nagano has beautiful mountains.「長野には美しい山がある」

❸そのものの「能力」、そこで「できる」こと
Dogs can run fast.「犬は速く走ることができる」
You can enjoy diving in Okinawa.「沖縄ではダイビングを楽しむことができる」

❹義務・必要
You do not need to get up early on Sundays.「日曜日には早起きしなくてもよい」

対策ポイント 英作文（意見論述）

基本表現を覚えよう！

■「結論」を述べる表現

「～と思う」I think（that）～

I think（that）time is more important than money.

「時間の方がお金より大切だ**と思います**」

■「理由」を述べる表現

「なぜなら～」because ～

I like koalas **because** they are cute.

「コアラが好きです。**なぜなら**かわいいからです」

「それは～だから」This is because ～／It is because ～

I like koalas. **This is because** they are cute.

「コアラが好きです。**それは**、かわいい**から**です」

「だから～」so ～

Koalas are cute, **so** I like them.

「コアラはかわいい**から**好きです」

「そういうわけで～」That is why ～

Koalas are cute. **That is why** I like them.

「コアラはかわいい。**そういうわけで**私はコアラが好きです」

■複数の理由などをつなぐ表現

「第一に、～」First,／To begin with,／First of all,／One reason is that

First, they can spend more time with their friends.

「**まず、**友人と過ごす時間を増やすことができます」

To begin with, they can learn many things.

「**まず、**彼らは様々なことを学ぶことができます」

「第二に、～」Second,／Another reason is that／Next,

Second, lunch can be a good chance for people to communicate.

「**二つ目は、**昼食が人と人とのコミュニケーションのよいきっかけになることです」

「さらに、～」In addition,／Also,

In addition, they can learn how to play the piano.

「**さらに、**ピアノの弾き方を学ぶこともできます」

■「結論」を述べる表現（主張の再表明）

「したがって、～」Therefore,

Therefore, playing sports is good for children.

「したがって、スポーツをすることは子どもたちにとっていいことなのです」

■具体例を挙げる表現

「例えば、～」For example,

For example, some people cannot eat meat, fish and eggs.

「例えば、肉や魚、卵が食べられない人もいます」

■比較・対比する表現

「～よりも…だ」more ... than ～

Houses are more expensive than apartments.

「一軒家はアパートよりも値段が高いです」

「これにより～が…しやすくなる」This makes it easier for ～ to ...

This makes it easier for them to learn English.

「これにより、彼らは英語を習得しやすくなります」

■「仮定」「時」などの条件を付け加える表現

「将来～するときにとても役立つだろう」It will be very useful when ～ in the future

It will be very useful when they study abroad in the future.

「将来、彼らが留学をするときに、とても役に立つだろう」

「～なしで、…」Without

Without break, working for eight hours is very hard.

「休憩なしで8時間も働くのはとても大変です」

「たとえ～だとしても」Even if

Even if you do not have enough time to cook, you can easily get food.

「料理をする時間がなくても、簡単に食べ物を手に入れることができます」

「～すると、…できる」If ～ , can ...

If people live in a house, they can save their money.

「一軒家に住めば、お金が貯められます」

「～が…することは－だ」It is － for ～ to ...

I think it is important for people to get up early every day.

「人は毎日早起きすることが大切だと思います」

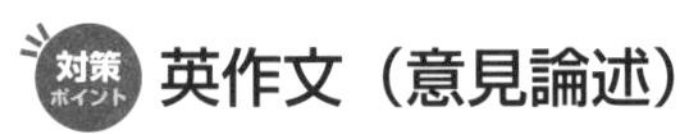

頻出テーマを確認しよう！

テーマ①
ある事柄について重要（よい）かどうかを聞く質問

学校生活や日常生活に関するテーマ（スポーツ、朝食、テレビなど）が出題され、それが重要（よい）かどうか聞かれます。

QUESTION
Do you think it is important for people to have breakfast every day?

解答例

I think it is important for people to have breakfast every day. One reason is that people can lead a regular life if they eat breakfast. Without breakfast, their body clock is messed up. Second, breakfast can be a good chance for people to communicate. They can share information at the beginning of each day.

［55語］

質問例訳

人々が毎日朝食をとることは重要だと思いますか？

解答例訳

私は、人々が毎日朝食をとることは重要だと思います。 理由の一つは、朝食を食べれば、人は規則正しい生活を送ることができるからです。朝食を食べないと体内時計がくるってしまいます。第二に、朝食は人々がコミュニケーションをとるためのいい機会です。一日の始まりに情報を共有することができます。

その他の出題例

Do you think it is important for children to learn how to give speeches at school?
「子どもたちが学校でスピーチの方法を学ぶことは重要だと思いますか？」
Do you think it is good for children to watch TV every day?
「子どもたちが毎日テレビを見るのはよいことだと思いますか？」
Do you think it is good for people to eat at fast-food restaurants?
「ファストフード店で食べることは、よいことだと思いますか？」

Point
メリットやデメリットを明確にする

二つの理由を述べるとき、それぞれに具体的な理由を付け加えることが大切です。必要性やメリット、デメリットを答えつつ、さらに自分自身の体験を語ることができれば、より説得力のある文章になります。

この出題形式で使える文の例

You can save money.「お金を節約することができる」
You can communicate with them.「コミュニケーションをとることができる」
You can share it.「共有することができる」

部活、インターネット、早起き、読書、習い事、ペットの飼育、旅行、おやつなどについての質問もよく出題されます。自分の実体験を英語で書けるよう準備しておきましょう。

覚えておきたい単語

anybody　誰でも
beginning　始まり
cheap　安い
communicate　伝達する
computer　コンピューター
convenient　便利な
easily　簡単に
exercise　練習、運動
fast-food restaurant　ファストフード店
feel　感じる
future　未来
important　重要な
information　情報
presentation　プレゼンテーション
relax　楽にさせる
rest　休憩
share　分ける、共有する
skill　技能
teammate　チームメート
useful　役に立つ

対策ポイント 英作文（意見論述）

テーマ❷ いくつかの選択肢から好きなものを聞く質問

「Do you think it is better ～?」などの形で、二つのうちどちらが好き（よい）かを問われます。二つを比べて、よい点、悪い点を整理しましょう。

QUESTION
Do you think it is better to eat at restaurants or at home?

解答例

I think it is better to eat at home. I have two reasons. First of all, you can spend more time only with your family. You can talk together while you eat. Also, you can cut down your food costs if you eat at home. It is more expensive to eat at restaurant.

［53語］

質問例訳

レストランで食べるのと家で食べるのとでは、どちらがよいと思いますか？

解答例訳

私は、家で食べる方がよいと思います。理由は二つあります。まず第一に、家族だけで過ごせる時間が増えます。食事をしながら、一緒に話をすることができます。また、家で食べれば食費を抑えられます。レストランで食事をすると高くつきます。

その他の出題例

Do you think it is better for people to have cars or use public transportation?
「人々にとって、車を持つのと公共交通機関を使うのとでは、どちらがよいと思いますか？」
Do you think it is better for people to have full-time jobs or part-time jobs?
「人々にとって、フルタイムの仕事とパートタイムの仕事では、どちらがよいと思いますか？」

Point

多様な視点で考える

身近な体験以外に、それが社会にどういう影響を与えるか、時間・コストはどうかなどの客観的な視点で意見を述べるとよいでしょう。

この出題形式で使える文の例

It is not good for your health.「健康によくない」
It saves time.「時間が節約できる」
This makes it easier to learn new skills.「新しい技術を習得しやすくなる」

住むなら都市か田舎か、友人に連絡するならメールか電話か、高校を卒業したら進学するか就職するかなどについての質問もよく出題されます。

覚えておきたい単語

alone　一人で
apartment　アパート
cook　料理する
expensive　高い
fat　脂肪
focus　集中する
group　集団
healthy　健康によい
more　もっと
need　必要とする
other　他の
own　自分の
restaurant　レストラン
save　節約する
space　空間
spend　使う、過ごす
talk　話す
thing　物
together　一緒に
vegetable　野菜

対策ポイント 英作文（意見論述）

テーマ③ ある事柄について、するべきかどうかを聞く質問

「Do you think ＋ 主語 ＋ should ～?」の形で、ある事柄について～すべきだと思うかについて問われます。

QUESTION
Do you think parents should let their children play computer games?

解答例

No, I do not think so. First, children do not get enough sleep if they spend a long time to play computer games. Sometimes children sit up late at night when they play computer games. Second, computer games hurt children's eyes. Their eyes are going to be bad if they keep looking at screen.

［54語］

質問例訳

親は子どもにコンピューターゲームをさせるべきだと思いますか？

解答例訳

いいえ、私はそうは思いません。第一に、コンピューターゲームを長時間すると、子どもたちは十分な睡眠がとれません。夜遅くまでゲームをしていることもあります。第二に、コンピューターゲームは子どもの目を痛めます。画面を見続けていると、目が悪くなります。

その他の出題例

Do you think parents **should** take their children to movie theaters?
「親は子どもを映画館に連れていくべきだと思いますか？」
Do you think school classrooms in Japan **should** use air conditioners?
「日本の学校の教室で、エアコンを使うべきだと思いますか？」

Point
納得のいく理由かどうか考える

「～すべきかどうか」と、単に自分の好みを問われているのではないため、納得できる理由付けができるかがポイントです。ここでも、客観的な視点をもつことが大切です。健康を害する、よい人生経験になる、時間が節約できるなどが理由の候補としてあげられます。

この出題形式で使える文の例

Their eyes are going to be bad.「目が悪くなる」
It is a good experience.「よい経験になる」

そのほか、ボランティア活動、オンライン授業、校則、幼いころからのプログラミング教育などについて考えてみましょう。

覚えておきたい単語

addition　追加
air conditioner　エアコン
become　～になる
example　例
experience　経験
good chance　よい機会
hurt　痛める
ill　病気で
learn　学ぶ
let　～させる
manner　方法
museum　博物館
parent　親
place　場所
quiet　静かに
reason　理由
school classroom　学校の教室
stop　やめる
video game　テレビゲーム
violent　暴力的な

英作文（意見論述）

●あなたは、外国人の知り合いから以下のQUESTIONをされました。

●QUESTIONについて、あなたの意見とその理由を２つ英文で書きなさい。

●語数の目安は50 ～ 60語です。

QUESTION

Do you think high school students should have part-time jobs?

質問訳

高校生はアルバイトをするべきだと思いますか？

文章構成

① 結論を述べる

（例）I think that high school students should have part-time jobs.
「私は高校生はアルバイトをするべきだと思います」

② 一つ目の理由を述べる

（例）They can realize how hard it is to earn money for themselves.
「生徒たちは自分でお金を稼ぐことがどれほど難しいかを実感できます」

③ 二つ目の理由を述べる

（例）They can learn something important that they cannot learn at school.
「生徒たちは学校では学べない重要なことを学べます」

解答例

I think that high school students should have part-time jobs. I have two reasons. First, they can realize how hard it is to earn money for themselves. Second, they can learn something important that they cannot learn at school. For example, they can learn good manners. That is why I believe part-time jobs are important for high school students. (59語)

解答例訳 私は高校生はアルバイトをするべきだと思います。理由は二つあります。まず、生徒たちは自分でお金を稼ぐことがどれほど難しいかを実感できます。次に、生徒たちは学校では学べない重要なことを学べます。例えば、礼儀作法を学べます。こういう理由で、私はアルバイトは高校生にとって大切なことだと考えています。

解説 あることをするべきかするべきでないか意見を求められたときは、まずは自分の立場を決め、１文目で示す。この問題の場合、するべきならば、I think that high school students should have part-time jobs. と答え、するべきでないならば、I do not think high school students should have part-time jobs. のように答える。その後に、I have two reasons. として、理由を二つ明示する。つなぎ言葉の first は「まず、第一に」、second は「次に、第二に」という意味で、理由を二つ述べる際に役立つので覚えておくとよい。

アルバイトをするべきと答える場合の理由としては、「～を得られるから」「～ができるから」と書くと、答えやすい。

(例) Students can earn money on their own.
「生徒たちが自分でお金を稼げる」
It is a good chance for students to think about what kind of jobs they will choose in the future.
「生徒たちにとって将来どんな仕事に就くかを考えるよい機会になる」

アルバイトをするべきでないと答える場合は、「～を失うから」「～できなくなるから」と書くと、答えやすい。

(例) Students do not have enough time to study.
「生徒たちが勉強する時間を取れなくなる」
Students get so tired with their part-time jobs that they cannot attend their classes.
「生徒たちはアルバイトで疲れてしまって授業に出席できなくなる」

直前で述べた「理由」について、for exampleなどを使って具体例を挙げると説得力が増す。最後に、that is whyやthereforeなどを用いて、１文目で述べた自分の意見を、言葉をかえて書いておく。

重要度 A 英作文（意見論述）

●あなたは、外国人の知り合いから以下のQUESTIONをされました。

●QUESTIONについて、あなたの意見とその理由を２つ英文で書きなさい。

●語数の目安は50 ～ 60語です。

QUESTION

Do you think it is important for children to do housework?

質問訳

家事をすることは、子どもにとって重要なことだと思いますか？

文章構成

① 結論を述べる

（例）I do not think it is important for children to do housework.
「私は家事をすることが子どもにとって重要だとは思いません」

② 一つ目の理由を述べる

（例）They have to concentrate on their homework.
「子どもは宿題に集中しなければなりません」

③ 二つ目の理由を述べる

（例）It is dangerous for them to help with housework.
「家事を手伝うことは、子どもにとって危険です」

解答例

I do not think it is important for children to do housework. I have two reasons. First, they have to concentrate on their homework. They are too busy to do housework. Second, it is dangerous for them to help with housework. They may cut their fingers when they help cooking. Therefore, it is not important for children to do housework.（60語）

解答例訳 私は家事をすることが子どもにとって重要だとは思いません。理由は二つあります。まず、子どもは宿題に集中しなければならないからです。家事をするには忙しすぎます。次に、家事を手伝うことは、子どもにとって危険です。料理を手伝っているときに、指を切ってしまうかもしれません。したがって、家事を手伝うことは、子どもにとって重要ではありません。

解説「～するのは重要と思うか」という質問に対して、「～するのは重要と思う」ならば、I think it is important to do ～、「～するのは重要と思わない」ならば、I do not think it is important to do ～ と答える。

do houseworkで「家事をする」だが、「家事を手伝う」はhelp with housework となる。手伝う内容の前にwithが必要なので注意する。

賛成の場合、家事を通じて学べることを書くと答えやすい。その場合、how to ～「～の仕方、方法」を使い、学べる内容を説明する。

（例）They can learn how to clean their rooms by themselves.
「自分で自分の部屋を掃除する方法を学べる」

また、「大人になったとき」when they become adults ～ のように、条件を付けて答える方法もある。ほかに条件を付ける表現に、if ～「もしも～ならば」もある。

（例）They have to do housework when they become adults, so they should learn how to do it while they are children.
「大人になったとき、家事をしなければならないので、子どものうちに家事の方法を学んでおくべきだ」

重要度 A

英作文（意見論述）

●あなたは、外国人の知り合いから以下のQUESTIONをされました。

●QUESTIONについて、あなたの意見とその理由を２つ英文で書きなさい。

●語数の目安は50 ～ 60語です。

QUESTION

Do you think reading comic books is good for students?

質問訳

マンガ本を読むことは生徒にとってよいと思いますか？

文章構成

① 結論を述べる

（例）I think reading comic books is good for students.

「私はマンガ本を読むのは生徒にとってよいと思います」

② 一つ目の理由を述べる

（例）We can get useful knowledge by reading comic books.

「マンガ本を読むことで役に立つ知識を得られます」

③ 二つ目の理由を述べる

（例）Comic books help us develop a good imagination.

「マンガ本は豊かな想像力を身につける手助けをしてくれます」

解答例

I think reading comic books is good for students. My first reason is that we can get useful knowledge by reading comic books. For example, we can learn many new words or *kanji* from them. My second reason is that these books help us develop a good imagination. Therefore, comic books have great value for students. (56語)

解答例訳 私はマンガ本を読むのは生徒にとってよいと思います。一つ目の理由は、マンガ本を読むことで役に立つ知識を得られることです。例えば、私たちはマンガ本からたくさんの新しい言葉や漢字を学べます。二つ目の理由は、マンガ本は豊かな想像力を身につける手助けをしてくれることです。したがって、マンガ本は生徒にとってとても価値があるのです。

解説 「～するのはよいと思うか」という質問に対して、「～するのはよいと思う」ならば、I think ～ is good、「～するのはよいとは思わない」ならば、I do not think ～ is good と答える。

「よいと思う」場合には、マンガ本を読むことによって得られる利益を考える。

(例) Some comic books are useful for us to learn the history of Japan and the world.
「日本や世界の歴史を学ぶのに役立つマンガ本もある」
We can learn life lessons by reading comic books.
「マンガ本を読むことで、人生の教訓を学べる」

反対に「よいとは思わない」ならば、マンガ本を読むことによってもたらされる悪い点を述べる。

(例) We may get so absorbed in comic books that we do not have enough time to study.
「マンガ本に熱中するあまりに勉強する時間が取れなくなる」
Some comic books may have a bad influence on children because they contain violent content.
「暴力の内容を含むマンガ本は子どもに悪影響を与えるかもしれない」

上の例のbe absorbed in ～「～に熱中する」、so ～ that …「あまりに～なので…だ」の表現は覚えておくとよい。

重要度 A

英作文（意見論述）

●あなたは、外国人の知り合いから以下のQUESTIONをされました。

●QUESTIONについて、あなたの意見とその理由を２つ英文で書きなさい。

●語数の目安は50 ～ 60語です。

QUESTION

Which do you think are better, paper dictionaries or electronic dictionaries?

質問訳

紙の辞書と電子辞書のどちらの方がよりよいと思いますか？

文章構成

① 結論を述べる

（例）I think that electronic dictionaries are better than paper dictionaries.
「私は紙の辞書よりも電子辞書の方がよいと思います」

② 一つ目の理由を述べる

（例）Electronic dictionaries are lighter and easier to carry than paper dictionaries.
「電子辞書は紙の辞書よりも軽く、持ち運びやすいです」

③ 二つ目の理由を述べる

（例）Electronic dictionaries are more convenient and helpful.
「電子辞書はより便利で役に立ちます」

解答例

I think that electronic dictionaries are better than paper dictionaries. First, electronic dictionaries are lighter and easier to carry than paper dictionaries. Second, electronic dictionaries are more convenient and helpful than paper dictionaries. For example, we can look up words we want to know more quickly and easily in electronic dictionaries.（51語）

解答例訳 **私は紙の辞書よりも電子辞書の方がよいと思います。まず、電子辞書は紙の辞書よりも軽く、持ち運びやすいです。次に、電子辞書は紙の辞書より便利で役に立ちます。例えば、電子辞書なら、知りたい単語をよりすばやく簡単に調べられます。**

解説「AとBのどちらの方がよいと思いますか」というタイプの問題に対しては、「Aの方がよいと思う」あるいは「Bの方がよいと思う」という意見を、I think that A is better than B. のように、比較級を用いて述べる。

理由についても、AとBを比較して述べるとよい。問題の場合、紙の辞書と電子辞書を比較して、優れている点を考えると書きやすい。

電子辞書が優れている点は、次のように書ける。

（例）Electronic dictionaries help us look up words and phrases quickly.
「電子辞書は語句をすばやく調べる手助けをしてくれる」
Some of them have a "pronunciation" function that allows us to hear the word on the screen.
「画面上の単語（の発音）を聞くことができる『発音』機能があるものもある」

紙の辞書が優れている点は、次のように書ける。

（例）In paper dictionaries, we can see all the different meanings that a word has on one page.
「紙の辞書なら、単語のすべての異なる意味を同じページ上で見られる」
Paper dictionaries are inexpensive and not easily broken.
「紙の辞書は高価ではなく、壊れにくい」

比較級を用いて書く場合、比較対象がすでに出ている場合はthan以下を省略してもよい。例えば、解答例の３文目は、Second, electronic dictionaries are more convenient and helpful (than paper dictionaries). とthan以下を省略することもできる。語数制限があるため、than以下はくり返さずにうまく省略してもよい。

英作文（意見論述）

●あなたは、外国人の知り合いから以下のQUESTIONをされました。

●QUESTIONについて、あなたの意見とその理由を２つ英文で書きなさい。

●語数の目安は50 ～ 60語です。

QUESTION

Do you think cell phones are good for students?

質問訳

携帯電話は学生たちにとってよいと思いますか？

文章構成

① 結論を述べる

（例）I think that cell phones are good for students.
「私は携帯電話は学生にとってよいと思います」

② 一つ目の理由を述べる

（例）Students will be safe even on their way to school because they can contact their parents easily.
「両親と簡単に連絡ができるので、通学途中でも安全です」

③ 二つ目の理由を述べる

（例）They can get much information when they need it.
「必要なときにたくさんの情報を得ることができます」

解答例

I think that cell phones are good for students. I have two reasons. First, students will be safe even on their way to school because they can contact their parents easily. Second, students can get much information when they need it. Therefore, it is good for students to have cell phones. (51語)

解答例訳 私は携帯電話は学生にとってよいと思います。理由は二つあります。まず、両親と簡単に連絡ができるので、通学途中でも安全です。次に、必要なときにたくさんの情報を得ることができます。したがって、携帯電話を持っている方が学生にとってよいです。

解説 学生にとって携帯電話がよいかどうかの問題。解答例のように書き出してもよいが、質問文が長い場合はYes, I think so.「はい、そう思います」のように繰り返しを避けてもよい。

上記の解答例以外にも、携帯電話が学生たちにとってよいものだと答える場合は、携帯電話の利便性を説くと理由を答えやすい。

(例) They do not need to take a heavy dictionary.
「重い辞書を持っていく必要がなくなる」
They can search for information they want by themselves, so it makes them independent.
「ほしい情報を自分で調べることができるので、自立できる」

理由を述べるときには、heavy dictionaryや、even on their way to schoolのようにheavy「重い」、even「～でさえ」などを使うと、強調した説明ができる。

携帯電話がよいものでないと答える場合は、勉学への影響を書くと、答えやすい。

(例) It is very bothering if it rings during the class.
「授業中に鳴ると、とても迷惑だ」
They cannot concentrate on studying.
「勉強に集中することができない」

上の例の、concentrate on ～「～に集中する」は、授業・テスト・宿題といった話題で使いやすいので、覚えておくとよい。

column 4 ライティングのチェック項目

問題の前提条件

☐ 単語数は指定語数以内に収まっているか	書いた英文が語数の目安に収まっているかを確認しましょう。

英文法・単語

☐ 時制は一致しているか	現在形を使うか、過去形にするのかを決めて文章全体で統一するようにしましょう。
☐ 同じ表現をくり返していないか	同じ内容を言いたいときも、表現を変えて書きましょう。
☐ 可算名詞と不可算名詞が区別されているか	不可算名詞（数えられない名詞）に複数形の s を付けていないか確認しましょう。 意味によっては、可算名詞にも不可算名詞にもなる単語もあるので、気をつけましょう。
☐ 正しい主語を選んでいるか	「お寿司は手で食べられる」を日本語の順で英訳して、Sushi can eat ～ としても、正しい英文になりません。We can eat sushi with our hands. のように表します。
☐ 単数・複数の間違いはないか	主語が三人称単数のとき、現在形の動詞に「三単現の s、es」が付いているか確認しましょう。
☐ 冠詞（a、an、the）の間違いや付け忘れはないか	数えられる名詞の場合、それが特定のものか、いくつかある中の一つかで、the と a /an を使い分けましょう。
☐ 適切な接続詞が使えているか	順接なのに but を使っていたり、逆接なのに so を使っていたりしないか気をつけましょう。
☐ 大文字・小文字、符号（.,?）の間違いはないか	特に s や c など、大文字と小文字が同じ形をしている場合、大文字にすべき所ははっきり大文字とわかるように書きましょう。
☐ 単語のスペルが正しいか	あいまいなスペルの単語は使わないようにし、別の単語に言いかえるようにしましょう。

文章の内容

☐ 自分の主張に対して十分な根拠・理由が書けているか	客観的に読み返してみて、説得力があるかどうか判断しましょう。

第５章

リスニング問題

Pre-2nd Grade

音声アイコンのある問題は、音声を聞いて答える問題です。
音声はスマートフォンやパソコンでお聞きいただけます。
詳細は６ページをご参照ください。

対策ポイント リスニング問題

リスニング問題は次の三つのパートに分かれています。
- 第１部…対話を聞いて、その最後の文に応答する文を選ぶ問題（10 問）。
  問題用紙に選択肢は印刷されていません。
- 第２部…対話を聞いて、その質問に対する答えを選ぶ問題（10 問）。
- 第３部…英文を聞いて、その質問に対する答えを選ぶ問題（10 問）。

各問題の解答時間は 10 秒です。

第１部

Point 1
対話の最後を聞き逃さない

対話の最後の文に応答するものを選ぶのが、この問題の趣旨です。つまり最後の文が重要になるので、聞き逃さないよう注意してください。

そのほか、会話の場・状況、話者の関係の聞き取り、「第２章　会話文の文空所補充」にあるポイントを押さえてください。

第2部・第3部

Point 1
選択肢をすばやく読んで、会話の内容を予測する

英文を、何の準備もせずいきなり聞くのと、内容をある程度予測しながら聞くのとでは、理解度に大きな差が出ます。１問終わるごとに休憩するのではなく、時間のある限り次の選択肢を読んでください。

もし、選択肢が長すぎて読む時間が足りないと感じたら、キーワードだけでも頭に入れておきましょう。キーワードになりそうなものは一般に、名詞、動詞、形容詞です。

Point 2

選択肢から質問を予測する

選択肢を読めば、質問が予測できる場合があります。例えば選択肢が

1 Yesterday. **2** Today.
3 Tomorrow. **4** The other day.

とあれば、質問が When ～？ で始まると予測できます。質問が予測できれば、すべてを聞き取る必要はなくなります。

特に第3部は、パッセージも少し長くなります。聞くべきところを予測しておき、答えが導き出せるように注意をしましょう。

Point 3

「選択肢を読む ➡ 聞く ➡ 選ぶ ➡ マークする」のリズムを崩さない

リスニングの試験中、「迷い」は禁物です。次の問題の選択肢に目を通す時間がなくなり、次の問題の答えまで迷うことになります。この場合はいさぎよくあきらめ、適当な番号をあてておき、「次の問題はきっとできる」と信じることです。

Point 4

ディクテーションで練習を積む

ディクテーションは、英語を聞いて書き取る練習です。これによって、どこが聞き取れなかったかを知り、もう一度音で確認することが大切です。聞き取れなかったところは音読して、自分が正確に発音できるよう練習しましょう。

Point 5

内容を把握する練習を行う

ディクテーションには、学習者が音声に注意しすぎて意味に十分な注意が向けられない、という欠点があります。一番大切なのは、メッセージが理解できるかどうかです。そこで、少々長いパッセージを聞いて、わからなかった箇所は捨てて、たまたま聞き取れた箇所だけで内容を推測する練習が必要になります。

200語くらいの簡単なパッセージを、誰が、どこで、いつ、何をしたか、に注意して聞いてみましょう。

会話の応答文選択

対話と選択肢を聞き、その最後の文に対する応答として最も適切なものを **1**、**2**、**3** の中から一つ選びなさい。 ※選択肢は問題用紙には印刷されていません。

No.1 3

1

2

3

No.2 4

1

2

3

No.3 5

1

2

3

No.4 6

1

2

3

No.5 7

1

2

3

No.6 8

1

2

3

Point

- 会話の最後の文をしっかり聞き取ろう。
- 最後の質問に注意しよう。Yes/No で答える質問か、wh- 疑問文か聞き分ける。

No.7 9

1

2

3

No.8 10

1

2

3

No.9 11

1

2

3

No.10 12

1

2

3

No.11 13

1

2

3

No.12 14

1

2

3

No. 1 3

英 文

A：Excuse me. Is there a bookstore in this neighborhood?
B：Yes, there's one on Main Street.
A：Great! Could you tell me how to get there?

英文訳

A：すみません。この近所に本屋はありますか？
B：ええ、メインストリートに１軒ありますよ。
A：よかった！　そこへの行き方を教えてくれませんか？

選択肢

1 The store has a good collection of books.
2 Yes, our town has three bookstores.
3 Go down this street and turn left at the second corner.

選択肢の訳

1 そのお店は本の品揃えがいいですよ。
2 はい、私たちの町には３軒の本屋があります。
3 この道をまっすぐ行って、二つ目の角を左に曲がってください。

解説 Could you tell me how to get there?「そこへの行き方を教えてください」という依頼なので、道案内をしている**3**が最も適切である。

ANSWER 3

No. 2 4

英 文

A：Hi, Lisa. Would you like to go for a drive tonight?
B：Well, I'm not really in the mood.
A：How about a movie, then?

英文訳

A：やあ、リサ。今夜、ドライブ行かない？
B：うーん、そんな気分じゃないのよ。
A：じゃあ映画はどうだい？

選択肢

1 Maybe some other time. I don't want to go out.
2 No, I'm fine, and I want to see a movie.
3 It's impossible for me to drive a car.

選択肢の訳

1 うーん、また今度ね。出かけたくないのよ。
2 いいえ、私は大丈夫だから映画を見に行きたいわ。
3 車を運転するなんて私には無理だわ。

解説 会話の最後にあるHow about ～？は「～はどうですか？」の意味。ここでは一方が映画に誘っているのに対し、相手は断ろうとしている様子がうかがえる。**1**はやんわりと断る表現で、これが最も適切。**2**はNoという返答が後の文脈に合わない。**3**は映画を見に行くという話題から外れてしまっているため不適切。

No.3 5

英 文

A : Hi, Steve.
B : Hi, Lucy. Did you go anywhere during the spring break?
A : I wanted to, but in the end, I didn't go anywhere.

英文訳

A：こんにちは、スティーブ。
B：やあ、ルーシー。春休み中はどこかへ行ったの？
A：行きたかったんだけどね、結局どこへも行かなかったの。

選択肢

1 Oh, I didn't, either.
2 Sounds good! Did you enjoy your trip?
3 I'm sorry to hear that. So did I.

選択肢の訳

1 ああ、ぼくもだよ。
2 いいね！　旅行は楽しかった？
3 お気の毒に。ぼくもだよ。

(解説) 会話の最後で、「どこへも行っていない」と否定している点に注目する。**1**は否定文の後に用いて「ぼくも行っていない」の意味になる。**2**は旅行に行ったことになり文脈に反するので不適切。**3**のSo did I.は「ぼくもだよ」という訳になるが、肯定文の後に用いる表現なので不適切。

No.4 6

英 文

A : Do you know where the concert hall is?
B : Yes. If you take a train to Civic Center, you will find the hall across from the station.
A : That's easy. How long will it take to get there?

英文訳

A：コンサートホールがどこかご存じですか？
B：はい。シビック・センター行きの電車に乗れば、駅の向かい側にコンサートホールがありますよ。
A：それは簡単ですね。そこまでどのくらいの時間がかかりますか？

選択肢

1 It will cost you ten dollars.
2 About half an hour.
3 Get off at the next stop.

選択肢の訳

1 10ドルかかります。
2 およそ30分です。
3 次の駅で降りてください。

(解説) How long will it take to ～?「～するのにどのくらいの時間がかかりますか？」という表現があるので、所要時間を答えている選択肢を選ぶ。**1**は費用を答えているので不適切。なお、How far ～?は「距離」、How often ～?は「頻度」をたずねる表現で、こちらも頻出なので、あわせて覚えておくとよい。

第5章 リスニング問題・会話の応答文選択 A

No.5 7

英　文

A：What do you plan to do this weekend?

B：I plan to go fishing with my son. How about you?

A：I have a meeting with a client.

英文訳

A：今週末は何をするつもり？

B：息子と釣りに行こうと思っているんだよ。あなたは？

A：得意先とミーティングよ。

選択肢

1 OK, let's check it out together.

2 That's too bad. Would you join us?

3 That's why you look unhappy.

選択肢の訳

1 よし、一緒に調べてみよう。

2 それはお気の毒に。一緒に来るかい？

3 だから浮かない顔をしているんだね。

解説 会話の最後で、週末にもかかわらずミーティングだと答えているので、**3**が自然。That's why ～で「そういうわけで～だ、だから～だ」という意味になる。**2**のThat's too bad.「お気の毒に」という表現も当てはまりそうだが、その後で「(釣りに) 一緒に来るかい？」と誘っているので文脈に合わない。

No.6 8

英　文

A：Good evening, sir. Do you have a reservation?

B：Yes, I made a reservation for two nights by telephone.

A：Thank you. Could I have your name, please?

英文訳

A：お客様、こんばんは。ご予約はされていますか？

B：はい、電話で２泊の予約をしました。

A：ありがとうございます。ではお名前を教えていただけますか？

選択肢

1 Smith. David Smith.

2 Yes, a table for two, please.

3 I don't have one. Can I pay in cash?

選択肢の訳

1 スミス。デイビッド・スミスです。

2 はい、二人用の席をお願いします。

3 持っていません。現金で払ってもいいですか？

解説 ホテルでの会話。Could I have your name, please?は名前をたずねる定型表現なので、名前を答えている**1**が最も適切。make a reservationは「予約をする」という表現。

No.7 9

英　文

A：Hi. Where to?
B：Hi. The Oriental Hotel, please.
A：We have two Oriental Hotels in this town. Is it the one on Fifth Avenue or at Central Square?

英文訳

A：こんにちは。どちらへ？
B：こんにちは。オリエンタルホテルまでお願いします。
A：この町にはオリエンタルホテルが二つあります。５番街ですか？セントラルスクエアですか？

選択肢

1 Sure, no problem. Go ahead.
2 The one on Fifth Avenue.
3 It'll take five minutes from here.

選択肢の訳

1 はい、問題ありませんよ。どうぞ。
2 ５番街の方です。
3 ここから５分かかります。

解説 タクシーでの客と運転手の会話。同じ名前のホテルが二つあり、どちらの方が目的地かをたずねている状況なので、**2**が最も適切。**1**のGo ahead.は「どうぞ」という意味で、相手に許可を与えたり、話を促したりするときに用いる。

No.8 10

英　文

A：Hi, Emi. Why don't we go out for dinner? A new Italian restaurant opened last week.
B：Sounds good. What time shall we meet?
A：Around six o'clock.

英文訳

A：やあ、エミ。夕食を食べに行かない？　先週、新しいイタリア料理のお店がオープンしたんだ。
B：いいわね。何時に待ち合わせする？
A：６時ごろに。

選択肢

1 Me, too. I can't go tonight.
2 Can I see another one?
3 That's fine with me. See you later.

選択肢の訳

1 私もよ。今夜は行けそうにないわ。
2 別のものを見せてもらえる？
3 いいわよ。じゃあ後でね。

解説 食事の時間を決めている状況。提案された時間の都合がどうかを答えている**3**が最も適切。**1**は、すでに夕食を食べに行くことに同意している文脈と矛盾するので不適切。**2**は店などで別の商品を見せてほしいときに使う表現。

No.9 11

英文

A：This cake is delicious! Where did you buy it?

B：I didn't buy it. I made it myself.

A：Wow! Really? Could you give me the recipe?

英文訳

A：このケーキおいしいね！ どこで買ったの？

B：買ったんじゃないわ。私が作ったの。

A：ええ！ 本当？ レシピを教えてくれない？

選択肢

1 OK. How about making it together next weekend?

2 No, you are good at cooking.

3 Yes, but I've never baked the cake.

選択肢の訳

1 いいわよ。じゃあ次の週末に一緒に作らない？

2 いいえ、あなたは料理が上手よ。

3 ええ、でも私はケーキを焼いたことがないの。

解説 レシピを教えてほしいと頼んでいる相手に対して返答している場面。**2**はAの料理の腕について話しているので不適切。**3**はBがケーキを作ったという文脈に合わないので不適切。

No.10 12

英文

A：Would you like to eat out tonight?

B：Oh, that's a good idea! Let's go!

A：OK. what do you feel like eating?

英文訳

A：今夜、外食しない？

B：わあ、いい考えだね！ そうしよう！

A：よし。何を食べたい気分？

選択肢

1 A table for two, please.

2 Let's have Korean food. I know a good restaurant.

3 How about having a pizza delivered?

選択肢の訳

1 二人用の席をお願いします。

2 韓国料理にしよう。いいレストランを知っているよ。

3 宅配ピザを頼むのはどう？

解説 外食をすることになり、何を食べようかとたずねている。よって、**2**が最も適切となる。feel like ～ing「～したい気分だ」は重要表現。**1**はレストランの予約をするときなどに言う表現なので不適切。**3**は、外食をするという流れに反するので不適切。

No. 11 13

英　文

A : May I help you?
B : Yes. I like this sweater, but I can't decide which color.
A : Would you like to try on both?

英文訳

A：いらっしゃいませ。
B：このセーターが気に入ったのですが、どちらの色にするか決められなくて。
A：両方ともご試着されますか？

選択肢

1 Actually, I don't want to buy this hat.
2 I tried to do that, but I couldn't.
3 Yes, thank you, I'll do that.

選択肢の訳

1 じつは、この帽子を買う気はないんです。
2 そうしようとしたのですが、できませんでした。
3 ありがとう、そうします。

解説 店員と客の会話。試着を勧められているので、最も適切なのは**3**。セーターが気に入ったと言っているので、帽子の話題になっている**1**は不適切。try onで「試着する」の意味。

No. 12 14

英　文

A : You look pale. Are you all right?
B : I feel terrible. I think I've caught a cold.
A : Let me get you some medicine. That should help.

英文訳

A：顔色が悪いよ。大丈夫？
B：ひどく気分が悪いの。かぜをひいたみたいだわ。
A：薬を取ってくるよ。効くと思うよ。

選択肢

1 That's too bad. You should see a doctor.
2 Thanks. I'll take it and stay in bed.
3 I feel much better, so don't worry.

選択肢の訳

1 それはいけないわね。医者にかかるべきだよ。
2 ありがとう。それを飲んで寝ているわ。
3 ずいぶん気分がよくなっているわ。だから心配しないで。

解説 「薬を取ってくる」という申し出に対してお礼を言っている**2**が最も適切。**1**はAのせりふならば妥当であるが、Bが発言するのは不適切。**3**は直前のBのせりふと矛盾するため不適切。

会話の応答文選択

対話と選択肢を聞き、その最後の文に対する応答として最も適切なものを **1**、**2**、**3** の中から一つ選びなさい。 ※選択肢は問題用紙には印刷されていません。

No.1 16

1

2

3

No.2 17

1

2

3

No.3 18

1

2

3

No.4 19

1

2

3

No.5 20

1

2

3

No.6 21

1

2

3

Point

- 会話の場面や状況をすばやくつかもう。
- 依頼、申し出、提案などに対する答え方を覚えておこう。

No.7 22

1

2

3

No.8 23

1

2

3

No.9 24

1

2

3

No.10 25

1

2

3

No.11 26

1

2

3

No.12 27

1

2

3

頻出度 B 会話の応答文選択 解答・解説

No. 1 16

英文

A：Are you ready to order, sir?
B：Yes, I'll have a steak and salad with orange juice.
A：How would you like your steak?

英文訳

A：ご注文はお決まりですか？
B：ええ、ステーキとサラダ、それにオレンジジュースをお願いします。
A：ステーキの焼き加減はどうしましょうか？

選択肢

1 Well-done, please.
2 Yes, I'll take one. I really like steak.
3 I'd rather have a thick steak, instead.

選択肢の訳

1 よく焼いてください。
2 はい、一ついただきます。ステーキが大好きなので。
3 代わりに分厚いステーキをいただきたいです。

解説 店員と客の会話。会話の最後の、How would you like your steak?はステーキの焼き加減を聞く頻出表現。答え方には、Well-done, please.「よく焼いてください」、Medium, please.「中ぐらいの焼き加減でお願いします」、Rare, please.「生焼きにしてください」などがある。

No. 2 17

英文

A：Is everything all right?
B：Yes, everything is delicious. We are enjoying our dinner very much.
A：Can I get you anything else?

英文訳

A：(料理などに)問題ございませんか？
B：ええ、みんなおいしいですよ。夕食をとても楽しんでいます。
A：ほかにご注文はございますか？

選択肢

1 Yes, I'm glad to. I had a good time.
2 No, thank you. We are full.
3 I'm sorry that the soup was cold.

選択肢の訳

1 ええ、喜んで。私は楽しい時間を過ごしました。
2 いいえ、けっこうです。お腹いっぱいです。
3 スープが冷たくて残念でした。

解説 会話の最後のCan I get you anything else?は、レストランでよく使われる表現。ほかに何か注文があるかという意味なので、**2**が最も適切。**3**は一つ目のAの質問に対する返答であれば合っているが、一度おいしいと言っているので、ここでは不適切。

ANSWER 2

No.3 18

英　文

A：Did you hear about David?

B：No. What happened?

A：He had an accident and was taken to the hospital.

英文訳

A：デイビッドのこと聞いた？

B：いや。何があったの？

A：彼、事故にあって病院に運ばれたんだ。

選択肢

1 Oh, no! Is he all right?

2 I heard that he broke his leg.

3 Fortunately, he avoided the traffic accident.

選択肢の訳

1 何てこと！　彼は大丈夫なの？

2 彼は骨折したって聞いたよ。

3 幸い、彼は交通事故を避けられたよ。

解説 「事故にあって病院に運ばれた」という悪い知らせを聞いたときの反応として最も適切なものを選ぶ。**2**は、事故にあったことを知らなかったという文脈に合わないので不適切。**3**も、直前の「事故にあった」という内容から外れるので不適切。

ANSWER 1

No.4 19

英　文

A：Are you all right, Bob? You look very tired.

B：Do I? Well, I couldn't sleep last night.

A：Why? Did you have something on your mind?

英文訳

A：ボブ、大丈夫？　とても疲れているみたいだけど。

B：そうかい？　昨日眠れなかったんだよ。

A：どうしたの？　何か気がかりなことでもあったの？

選択肢

1 The baby was crying all night.

2 You seem to have something in mind.

3 I can't stand it anymore.

選択肢の訳

1 赤ん坊が一晩中泣いてたんだ。

2 あなたには考えがあるように見える。

3 もう我慢できない。

解説 Did you have anything on your mind?で「何か気がかりなことがあったの？」という意味。眠れなかった理由として最も適切な**1**を選ぶ。**2**はin mindという表現が、問いかけ文とよく似ているので惑わされるかもしれないが、文脈に合わないので不適切。**3**はitの指示内容が不明確で不適切。なお、standは「我慢する」、not anymoreは「もはや～ない」という重要表現なのであわせて覚えておくとよい。

ANSWER 1

No.5 20

英文	英文訳
A：There's nothing to watch on TV today.	A：今日はおもしろいテレビ番組がないよね。
B：I know. I think I'll rent a DVD.	B：そうね。私はDVDを借りようかな。
A：What kind of movie are you going to rent?	A：どんな映画を借りるの？

選択肢	選択肢の訳
1 I don't have time for that.	**1** そんな時間はないの。
2 I really like movies.	**2** 私は映画がすごく好きです。
3 I want to see a horror movie tonight.	**3** 今夜はホラー映画が見たいわ。

解説 話題がテレビ番組から映画に変わっている部分と、what kind of movie「どんな種類の映画」、rent「借りる」という部分がわかれば、「どんな映画を借りるの？」という質問が推測できる。会話の最後で種類をたずねているので、映画の種類を答えている**3**が正解。

No.6 21

英文	英文訳
A：It's a nice party, isn't it?	A：すてきなパーティーですね。
B：Yes, it is. The food is delicious, and everyone looks happy.	B：そうですね。料理はおいしいですし、皆さん楽しそうですね。
A：Have you talked with many people?	A：たくさんの方とお話しになりましたか？

選択肢	選択肢の訳
1 Well, I think there are many.	**1** ええと、たくさんいると思います。
2 Yes, quite a few people are speaking there.	**2** はい、かなり多くの人々がそこで話をしています。
3 I enjoyed talking with a few.	**3** 2、3人の方とお話を楽しみました。

解説 会話の最後のHave you talked with many people?という問いの答えとして最もふさわしいものを選ぶと、**3**が適切。**2**はたくさんの人が会話をしている状況を述べているだけなので、回答としては不適切。quite a few「かなり多くの」。

No.7 22

英　文

A：Hi, Mike. How was your weekend?
B：Not bad. Same as usual. How about you?
A：Well, I won first prize in a speech contest.

英文訳

A：こんにちはマイク。週末はどうだった？
B：まあまあだったよ。いつも通りだね。君は？
A：ええ、私は弁論大会で優勝したの。

選択肢

1 Come on! Don't be so depressed.
2 Did you really? Congratulations!
3 Well, don't give up. You'll have another chance.

選択肢の訳

1 ほら！　そんなに気を落とさないで。
2 本当？　おめでとう！
3 あきらめてはいけないよ。またチャンスは来るから。

解説 弁論大会で優勝したという発言に対する反応を選ぶ問題。喜ばしいニュースなので、Congratulations!「おめでとう！」という祝福の言葉を返すのが自然。**1**と**3**はいずれも、何か失敗したり落ち込んだりしている人を励ます際に使う表現。

No.8 23

英　文

A：I received a letter of invitation to John's birthday party.
B：Me, too. I'd love to go celebrate!
A：Yeah. What are you going to buy for him?

英文訳

A：ジョンの誕生日パーティーの招待状を受け取ったよ。
B：私もよ。お祝いにぜひとも行きたいわ！
A：そうだね。彼へ何を買うつもりだい？

選択肢

1 With Ken and Lucy.
2 Maybe about seven o'clock.
3 I haven't decided yet.

選択肢の訳

1 ケンとルーシーと一緒にね。
2 おそらく7時ごろに。
3 まだ決めてないの。

解説 会話の最後のWhat are you going to buy for him?という疑問文に普通なら物の名前で答えるが、選択肢にないので、**1**と**2**が不適切であることを見抜く必要がある。**1**は一緒に行く相手、**2**は時刻を答えているので不適切。

No.9 24

英　文

A：What a cute cat! What's her name?
B：She's Fluffy.
A：What a pretty name! Can I hold her?

英文訳

A：まあかわいい猫ね！　名前は？
B：フラッフィです。
A：かわいい名前ね！　抱いてもいい？

選択肢

1 Of course, but be careful not to get scratched.
2 Maybe, you can hold these two dogs.
3 My pleasure. I'd be glad to help whenever I can.

選択肢の訳

1 もちろん。でもひっかかれないように気をつけてね。
2 おそらくこの２匹の犬を抱くことができますよ。
3 どういたしまして。いつでもお手伝いするよ。

解説 Can I ～？で「～してもいいですか」という許可を求める表現。**2**は犬の話になっているので不適切。**3**のMy pleasure.は「どういたしまして」の意味で用いる。

No.10 25

英　文

A：Welcome to Osaka! When did you get here?
B：Well, my plane was delayed, and I arrived late last night.
A：I see. How long are you staying?

英文訳

A：大阪へようこそ！　いつこちらに来られたのですか？
B：いやあ、飛行機が遅れて、昨夜遅くに到着したんですよ。
A：そうなの。どのくらいの間滞在されるのですか？

選択肢

1 The weather forecast says it's going to rain.
2 This is my first visit to Osaka.
3 I'll stay here about a week.

選択肢の訳

1 天気予報によると、雨になりそうです。
2 大阪へは今回がはじめてです。
3 約１週間滞在するつもりです。

解説 How long ～？は「どのくらいの間」という期間をたずねる表現なので、about a week「約１週間」と期間を答えている**3**が適切。**2**は経験をたずねられたときの答えになっているので、不適切。

No. 11 26

英 文

A：Wow! This is a really grand temple!

B：It was built about 1,200 years ago.

A：Amazing! Would you take my picture with the temple in the background?

英文訳

A：わあ！　これは何て壮大な寺院なの！

B：約1,200年前に建てられたんだよ。

A：すばらしいわ！　このお寺を背景に写真を撮ってくれませんか？

選択肢

1 The temple over there is beautiful.

2 Yes, let's ask that gentleman to take our picture.

3 No problem. Just tell me where to press.

選択肢の訳

1 あそこの寺は美しいね。

2 うん、あの男性にぼくたちの写真を撮ってくれるように頼もう。

3 いいよ。どこを押すか教えて。

解説 Would you take my picture with the temple in the background? という依頼に対する承諾の返事には、No problem.やSure.などを使う。**2**はtake our pictureとなっていて、直前のtake my pictureと矛盾するため不適切。

No. 12 27

英 文

A：It's still raining outside.

B：Oh, no! I left my umbrella on the train!

A：That's too bad. Someone might have taken it to the lost and found at the station.

英文訳

A：外はまだ雨が降っているね。

B：しまった！　電車に傘を忘れてきちゃった！

A：それは大変。誰かが駅の忘れ物センターに持って行ってくれたかもしれないよ。

選択肢

1 OK, I'll call and ask.

2 Wait until it stops raining.

3 Yeah, OK. I'll do that.

選択肢の訳

1 よし、電話して聞いてみる。

2 雨が止むまで待とう。

3 うん、わかった。そうする。

解説 傘を置き忘れた相手に対して、対処法をアドバイスしている文脈。会話の最後のthe lost and found「忘れ物センター」は難しいかもしれないが、take「持って行く」や、at the station「駅」という単語をしっかり聞き取り、文脈も考慮して推測する。

会話の内容一致選択

対話を聞き、その質問に対して最も適切なものを **1**、**2**、**3**、**4** の中から一つ選びなさい。

No.1

29

1 On a bus.
2 At an amusement park.
3 At a theater.
4 At a restaurant.

No.2

30

1 In his own car.
2 In the woman's car.
3 By bus.
4 By train.

No.3

31

1 They don't feel like eating sea food.
2 Luke cooked a delicious meal.
3 The Italian restaurant is closed today.
4 The restaurant doesn't serve grilled fish.

No.4

32

1 Eat French fries.
2 Call a waiter and ask for a change.
3 Cancel the order.
4 Make baked potatoes for himself.

Point

●選択肢から、会話と質問の内容を予測しよう。

No.5

33

1 Blue color.
2 Silky touch.
3 Size.
4 Reasonable price.

No.6

34

1 He has a backache.
2 He has a headache.
3 He needs a massage.
4 He needs to go to a doctor.

No.7

35

1 Their health.
2 Their favorite drinks.
3 The drink they are going to order.
4 A remedy for a cold.

No.8

36

1 Jog to the station.
2 Take the bus to the station.
3 Walk to the station.
4 Join a health club.

No.9

37

1 He doesn't want to go to the rock concert.
2 He will play the guitar at the concert.
3 He doesn't like rock music.
4 He will celebrate his mother's birthday.

No.10

38

1 Exchange her shirt for a bigger one.
2 Buy a small-size shirt.
3 Try a shirt on.
4 Return a shirt.

No.11

39

1 The heel is coming off.
2 The shoes are too big.
3 The shoes are too small.
4 The shoes have a little hole.

No.12

40

1 Get a call from Japan.
2 Ask the operator to make a call to Japan.
3 Make a call to Japan himself.
4 Ask for a telephone number.

会話の内容一致選択 解答・解説

No. 1 29

英　文

A：How much is the fare?

B：It's 200 yen. Just put your money in the box right there.

A：Oh, I have only a bill. Could you change this into coins?

B：You can do that by using the machine near the door.

Question：Where is the man now?

英文訳

A：運賃はいくらですか？

B：200円です。そこの箱にお金を入れてください。

A：あ、紙幣しか持っていないんです。小銭に両替していただけますか？

B：ドアの近くの機械を使ってできますよ。

質問：この男性はどこにいるか。

選択肢の訳

1 バスの中。
2 遊園地。
3 劇場。
4 レストラン。

解説 fareは「交通機関の運賃」なので、ここでは乗り物の場面と考えられる。ちなみにサービス・手数料はcharge、品物の値段はprice、謝礼や授業料はfeeを使う。**2**の遊園地で乗り物の料金をたずねる場合は、How much is one ride?などとする。

No. 2 30

英　文

A：Bob, how are you going to John's birthday party tomorrow? By car?

B：I'll go by bus. My car is broken down. I have to have it repaired.

A：Too bad. I was going to ask you to give me a ride.

B：Sorry.

Question：How will Bob go to the party?

英文訳

A：ボブ、明日のジョンの誕生日パーティー、どうやって行くの？ 車？

B：バスで行くよ。車が故障中なんだ。修理に出さないといけないよ。

A：残念。乗せて行ってと頼むつもりだったのに。

B：ごめんよ。

質問：ボブはどうやってパーティーに行くか。

選択肢の訳

1 自分の車で。
2 女性の車で。
3 バスで。
4 電車で。

解説 一つ目のボブのせりふにby busとあるので**3**が正解。My car is broken down.「車は故障中」で使えないと言っているので**1**は不適切。**2**の女性の車や**4**の電車は会話に出てこないので不適切。

No.3 31

英　文

A：Do you feel like sea food today?
B：Sure, Luke. I know a nice Italian restaurant.
A：Listen. I made a delicious grilled fish dinner. Would you like to come over to my house and try it?
B：Sure. Why not?
Question：Why have they decided not to eat out today?

英文訳

A：今日は魚料理をどう？
B：そうね、ルーク。いいイタリア料理のレストランを知っているわよ。
A：ねえ。おいしい焼き魚の料理を作ったんだ。家に来て食べてみる？
B：いいわね。そうしましょう。
質問：なぜ彼らは今日外食しないことにしたのか。

選択肢の訳

1 魚料理を食べたい気分ではない。
2 ルークがおいしい食事を作った。
3 イタリア料理店が今日は休みだ。
4 レストランは焼き魚の料理を出さない。

解説 二つ目のルークのせりふで、おいしい焼き魚の料理を作ったとあるので、**2**が正解。最後のWhy not?は多様な意味を表す。否定文の後で使うと「どうして～ないの？」、提案の文に対して使うと「うん、そうしよう」、許可の求めには「いいですよ」という意味になる。

ANSWER 2

No.4 32

英　文

A：I'll have the steak lunch set. And you, Andy?
B：I'll have the same.
A：OK, this set comes with French fries.
B：Ah, I prefer baked potatoes. Let me ask if I can change it.
Question：What will Andy do next?

英文訳

A：私はステーキランチセットにするわ。アンディー、あなたは？
B：ぼくも同じのをいただくよ。
A：わかったわ、このセットにはフライドポテトがついているのね。
B：ああ、ぼくはベークドポテトの方が好きだな。変更できるか聞いてみよう。
質問：アンディーは次に何をするか。

選択肢の訳

1 フライドポテトを食べる。
2 ウエーターを呼び、変更をお願いする。
3 注文を取り消す。
4 自分でベークドポテトを作る。

解説 最後のせりふで、「変更できるかどうか聞いてみよう」とあるので、ウエーターに変更できるかたずねる行動が予測される。**2**のask for ～は「～を求める」という意味。

ANSWER 2

No.5 33

英 文

A：This sofa is really comfortable.
B：Yes, and it's big enough for two of us to sit on.
A：I like this brown color. I think this would match our living room.
B：I know. Should we get it?
Question：What is one thing they like about the sofa?

英文訳

A：このソファ、すごく快適だよ。
B：ええ、私たち二人が座るのに十分な大きさね。
A：この茶色が気に入ったよ。リビングに合うと思うよ。
B：そうね。これにしましょうか？
質問：彼らがソファについて気に入ったことの一つは何か。

選択肢の訳

1 青い色。
2 絹のような手ざわり。
3 大きさ。
4 ほどよい値段。

解説 Bの一つ目のせりふで「二人で座るのに十分な大きさだ」と、大きさがちょうどよいということに言及しているため**3**が正解。ほかの選択肢については会話に出てこないので、消去法で考えられる。

No.6 34

英 文

A：How's your backache? Is it still bothering you, Roy?
B：I'm afraid so. I think I'll stay in bed today. My back is killing me.
A：Can I give you a massage? Maybe that will help.
B：Oh, yeah. Thanks.
Question：What's wrong with Roy?

英文訳

A：腰痛はどう？　まだ気になる、ロイ？
B：そうだね。今日は一日横になっていようと思うよ。腰が痛くてたまらないんだ。
A：マッサージをしようか？　たぶん、楽になるよ。
B：ああ。ありがとう。
質問：ロイはどこの具合が悪いか。

選択肢の訳

1 腰が痛い。
2 頭痛。
3 マッサージが必要。
4 医者へ行くことが必要。

解説 どこの具合が悪いかたずねているので、**1**のbackacheと**2**のheadacheにしぼられる。最初の**A**のせりふをしっかり聞き取ることがポイント。～ is killing meは口語表現で「～が痛くてたまらない」の意味。

No.7 35

英文

A：What do you take for a bad cold, Jill?
B：Well, orange juice. It contains a lot of vitamin C. Do you have a good cold remedy?
A：Sure. I usually make some hot tea with a little bit of brandy. I feel better after drinking it.
B：I'm sure you do.
Question：What are they talking about?

英文訳

A：ジル、ひどいかぜには何を飲む？
B：ええと、オレンジジュース。ビタミンCがいっぱい入っているからね。いいかぜの治療法はある？
A：ああ。いつもちょっとブランデーを入れた熱い紅茶を作るよ。それを飲むとよくなるんだ。
B：きっとよくなるだろうね。
質問：彼らは何を話しているか。

選択肢の訳

1 健康について。
2 好きな飲み物について。
3 注文しようとしている飲み物について。
4 かぜの治療法について。

解説 Aの最初のせりふとremedy「治療法、治療薬」をしっかり聞くことがポイント。ほかに、treat「治療する」(a drug to treat cancer「がん治療の薬」)、cure「治療する」(This medicine cured me of my cold.「この薬でかぜが治った」) という表現がある。

No.8 36

英文

A：I need to get more exercise.
B：Eric, I told you. You should walk to the station instead of taking the bus.
A：Yeah, I think I will. Walking is a good way to stay fit.
B：That's right.
Question：What will Eric probably do?

英文訳

A：もっと運動しなくちゃね。
B：エリック、言ったでしょう。バスに乗る代わりに、駅まで歩くべきだって。
A：ああ、そうしよう。歩くのが健康を保つよい方法だ。
B：そう思いますよ。
質問：エリックは何をするつもりだろうか。

選択肢の訳

1 駅までジョギングする。
2 駅までバスに乗る。
3 駅まで歩く。
4 ヘルスクラブに参加する。

解説 Yeah, I think I will. は前文の内容を受けて、walk to the station が省略されている。会話ではこのように、前文の内容を受けて省略されることがあるので注意する。instead of ～「～の代わりに」。

No.9 37

英　文

A：I've got two tickets for a rock concert on Saturday night. Would you like to come, Bill?

B：I'd love to, but it's my mom's birthday. I don't think I can.

A：Too bad.

B：Sorry.

Question：What do we learn about Bill?

英文訳

A：土曜日の夜のロックコンサートの切符が2枚あるの。行かない、ビル？

B：行きたいけれど、お母さんの誕生日なんだ。行けないよ。

A：残念ね。

B：悪いね。

質問：ビルについてわかることはどれか。

選択肢の訳

1 ロックコンサートに行きたくない。　**2** コンサートでギターを演奏する。
3 ロックミュージックが好きではない。　**4** 母親の誕生日を祝う。

解説 勧誘の表現に対して断る場合、I'd love to, but ～「そうしたいけれど～」という表現が使われる。コンサートに行きたいが、母親の誕生祝いをする予定があるという流れをつかむ。

No.10 38

英　文

A：Thank you for waiting, Ma'am. What can I do for you?

B：Well, I bought this shirt the other day, but it's too small for me. Can I exchange it for a bigger size?

A：Certainly. I'll get you a bigger one right away.

B：Thank you.

Question：What does the woman want to do?

英文訳

A：お待たせしました。どうされました？

B：先日、このシャツを買ったけど、小さかったの。大きいのと換えてくれますか？

A：わかりました。すぐに大きいものを持ってきますね。

B：ありがとう。

質問：この女性はどうしたいか。

選択肢の訳

1 シャツを大きいものと交換する。　**2** Sサイズのシャツを購入する。
3 シャツを試着する。　**4** シャツを返品する。

解説 Bの一つ目のせりふでCan I exchange it for a bigger size?「大きいのと換えてくれますか？」とあるので、**1**が正解。Can I ～？は、許可を求めたり依頼したりする場合に使われる。

No. 11 39

英文	英文訳
A：I would like to return these shoes.	A：この靴を返品したいのですが。
B：Is there anything wrong with them? Are they the wrong size?	B：何か問題ですか？ サイズが違いますか？
A：No, the size is OK, but the heel is coming off of this one.	A：いいえ、サイズはいいのですが、かかとが取れかかっています。
B：Yes, I see. Give me one second. I'll see what I can do.	B：ああ、わかりました。少し時間をください。見てみますので。
Question：What is the problem with the shoes?	**質問**：靴の何が問題なのか。

選択肢の訳

1 かかとが取れかかっている。
2 靴が大きすぎる。
3 靴が小さすぎる。
4 靴に小さな穴がある。

解説 靴の苦情と考えられるのはサイズ違いと、The heel is coming off of this one.「かかとが片方の靴から取れかかっています」の2か所。サイズ違いに対しては the size is OKと答えている。

No. 12 40

英文	英文訳
A：Hello, long distance operator. How can I help you?	A：はい、長距離電話交換手です。どのようなご用件ですか?
B：Yes, I'd like to make an international call to Japan.	B：日本への国際電話をかけたいのです。
A：You can make the call yourself. Just dial 010, the country code 81, the area code and the number.	A：ご自分でおかけになれますよ。010をダイヤルし、国番号81、市外局番と電話番号です。
B：Thanks.	B：ありがとう。
Question：What will the man probably do?	**質問**：この男性は何をするつもりだろうか。

選択肢の訳

1 日本からの電話を受ける。
2 交換手に日本へ電話をつないでもらう。
3 自分で日本へ電話する。
4 電話番号をたずねる。

解説 You can make the call yourself.「自分で電話できますよ」の can は「能力」でなく、「実現可能である」を示している。日本語に訳せばどちらも「できる」だが、この違いに気をつける。

会話の内容一致選択

対話を聞き、その質問に対して最も適切なものを **1**、**2**、**3**、**4** の中から一つ選びなさい。

No. 1 42

1 A western movie.
2 A science fiction movie.
3 A musical.
4 A horror movie.

No. 2 43

1 She took a hose for a snake.
2 She was bitten by a snake.
3 She saw a horse.
4 She was injured in the bush.

No. 3 44

1 Check-in counter.
2 The departure gate.
3 Terminal A.
4 Terminal B.

No. 4 45

1 Have lunch at a reasonable price.
2 Listen to the music.
3 Go to a bookstore.
4 Sell her dictionary.

No.5

46

1 It is dirty, and the food is terrible.
2 It is dirty, but the food is good.
3 It is clean, but the food is terrible.
4 It is clean, and the food is good.

No.6

47

1 Its location was not ideal.
2 The service was not good.
3 It didn't have a swimming pool.
4 It was noisy.

No.7

48

1 To his office.
2 To National Park.
3 To his home.
4 To his car.

No.8

49

1 Call Emily back later.
2 Leave a message.
3 Go shopping.
4 Go home.

50

1 Hot soup.
2 Chicken.
3 Chinese food.
4 Hot and spicy food.

51

1 For three years.
2 This summer.
3 Stay at her friend's house.
4 Make a report about Toronto.

52

1 From the newspaper.
2 From the Internet.
3 From the TV news.
4 By telephone.

53

1 Go to a rock concert.
2 Go shopping.
3 Play tennis.
4 Stay at home.

No. 1 42

英 文

A：Did you enjoy the movie?
B：Yes, I really enjoyed it. Terrific special effects and an interesting story.
A：What's it about?
B：It's about time travelers. They get a time machine and go to the future.
A：Sounds interesting.
Question：What kind of movie are they talking about?

英文訳

A：映画は楽しかったですか？
B：ええ、とても楽しかったですよ。すばらしい特殊効果でおもしろい物語でした。
A：どんな話ですか？
B：タイムトラベラーの話です。タイムマシンに乗って未来に行くのです。
A：おもしろそう。
質問：どのような種類の映画について話しているか。

選択肢の訳

1 西部劇。
2 ＳＦ映画。
3 ミュージカル。
4 ホラー映画。

解説 映画の種類は直接出てこないが、話の内容から推測しよう。このほか、Love story「恋愛物語」、Comedy「喜劇」も覚えておくとよい。

No. 2 43

英 文

A：I'm sure I saw a black snake in the bush.
B：A snake? Are you sure? I'll have a look.
A：Do you see it?
B：Yeah, I got it. You don't have to be frightened. It's a garden hosc.
Question：Why was the woman frightened?

英文訳

A：茂みの中に黒いヘビが確かにいたのよ。
B：ヘビ？　本当に？　確かめてみよう。
A：いた？
B：ああ、わかったよ。怖がらなくていいよ。庭のホースだよ。
質問：この女性はなぜ怖がっていたのか。

選択肢の訳

1 ホースをヘビと思った。
2 ヘビにかまれた。
3 ウマを見た。
4 茂みの中でケガをした。

解説 茂みの中に見えたヘビの正体はホースだったという、少しひねりのきいた問題。状況を的確に把握することが要求される。**1**のtake A for Bは「AをBと見間違える」という意味の重要熟語なので、あわせて覚えておくとよい。

No.3 44

英 文

A：Excuse me. This is terminal A, right?
B：That's right.
A：Could you tell me where I can get on a shuttle bus for terminal B, please?
B：Buses are on the next level. Just take the escalator over there.
Question：Where does the man want to go?

英文訳

A：すみません。ここはターミナルAですね？
B：ええ、そうですよ。
A：ターミナルB行きのシャトルバスの乗り方を教えてくれませんか？
B：バスは上の階から出ますよ。向こうのエスカレーターでどうぞ。
質問：この男性はどこへ行きたいのか。

選択肢の訳

1 搭乗手続きカウンター。
2 出発ゲート。
3 ターミナルA。
4 ターミナルB。

解説 空港での会話。大きな空港では、出発する便によってターミナルが異なり、移動しなければならない。Aの二つ目のせりふから、ターミナルBへのシャトルバス乗り場を知りたいことがわかるので、**4**が正解。

No.4 45

英 文

A：Why not go check out the new shopping mall, Nancy?
B：Sounds great! It has a large book store, doesn't it? I need to buy an English dictionary.
A：Yes, and it also has a big CD shop and many good restaurants.
B：Good!
Question：What does Nancy want to do the most?

英文訳

A：ナンシー、新しくできたショッピングモールをのぞいてみない？
B：すてき！ 大きな本屋さんが入っているのよね？ 英語の辞書を買わなきゃいけないのよ。
A：そうだよ、大きなCDショップと、たくさんのいいレストランもね。
B：いいわね！
質問：ナンシーは一番何をしたいと思っているか。

選択肢の訳

1 手頃な値段の昼食を食べる。
2 音楽を聞く。
3 本屋に行く。
4 辞書を売る。

解説 情報を整理する必要がある。ナンシーが一番したいことは「本屋に行くこと」である。また、Aの一つ目のせりふ、Why not ～？は「～しませんか？」という勧誘表現である。

No.5 46

英　文

A：Do you have lunch at the school cafeteria?
B：No, never.
A：Why not? It serves lunch at a reasonable price, doesn't it?
B：It has a limited menu, and the food is terrible. What's worse, the place is not clean.
Question：What is the school cafeteria like?

英文訳

A：学校の食堂で昼食を食べる？
B：ううん、食べない。
A：どうして？　手頃な値段でランチを出してくれるじゃない。
B：メニューは少ないし、食べ物はおいしくないし。おまけに清潔じゃないもの。
質問：学校の食堂はどんな様子か。

選択肢の訳

1 清潔でないし、食べ物がおいしくない。
2 清潔でないが、食べ物はおいしい。
3 きれいだが、食べ物はおいしくない。
4 きれいで、食べ物がおいしい。

解説 Why not? が否定文の後に使われる場合、「どうして」という質問の意味になる。terrible「ひどい」。

ANSWER 1

No.6 47

英　文

A：How was the hotel you stayed at in Sydney?
B：It was pretty good. The room was comfortable and the service was really nice. The only problem was its location.
A：What do you mean?
B：It was a long way from the central part of the city.
Question：What was the problem with the hotel in Sydney?

英文訳

A：シドニーで泊まったホテルはどうでしたか？
B：とてもよかったですよ。部屋は居心地がいいし、サービスがすばらしい。だけど立地だけは問題がありました。
A：どういうことですか？
B：市の中心部からずいぶん離れているのです。
質問：シドニーのホテルの問題点は何だったか。

選択肢の訳

1 立地が理想的ではなかった。
2 サービスが悪かった。
3 プールがなかった。
4 騒がしかった。

解説 The only problem was its location.の意味をつかめば、答えられる。**2**はservice was really niceとあるので不適切。

(1) **質問訳** なぜジョナサンはこのメールを書いたのか。

解説 4行目に解答の根拠がある。旅行の変更点をいくつか連絡するためにこのメールを書いたとあるので**1**が正解となる。

(2) **質問訳** ジョナサンは旅行の日にどこでローラに会う予定か。 ANSWER 3

解説 6行目に書かれている、変更点の一つ目を整理する。もともとはローラの家で落ち合うことになっていたが、仕事の都合で空港での待ち合わせに変更してほしいと申し出ているので**3**が正解となる。

(3) **質問訳** 旅行の3日目に彼らは何をするつもりか。 ANSWER 2

解説 8行目にもともとは2日目に観光を予定していたが、それが「次の日」つまり「3日目」に延期になったと伝えている。したがって、3日目は観光をする予定ということになり**2**が正解となる。

訳

送信者：ジョナサン
受信者：ローラ
受信日：12月1日
題名：冬休み

ローラへ

こんにちは、ローラ。元気？　冬休みに君とバリ旅行に行くのを楽しみにしているよ！　海で泳ぐのと買い物を楽しもう！
ところで、ぼくたちのスケジュールにいくつか変更点があって、それを知らせたくてこのメールを書いているよ。まず一つ目は、ぼくたちは君の家で落ち合って一緒に空港へ行こうと計画していたよね。ところが残念なことに、ぼくは午前中仕事をしなくてはならないんだ。だから、代わりに空港で会えるかな。
それから二つ目は、旅行の2日目にバリの中心地で観光ツアーとショッピングをする予定だったよね。ところがそれが次の日に延期になったんだ。何か問題があるかな。もしあったら教えてくれる？
すばらしい旅行になるよ！　待ち切れないよ！

またすぐにね。
ジョナサン

重要度 A

Eメールの問題

From: Mary <t.mary1115@amail.com>
To: Julia <julia0202@thinkmail.co.uk>
Date: September 15
Subject: The Good News

Dear Julia,

Hi, Julia, how are you? I miss you because you haven't shown up in classes for a week. I know you are busy with job hunting. I hope you will find a good job. I'm sure you will.
Since you missed quite a few lectures, I will lend you my notebooks so you can study on your own. So, don't worry about classes!
Anyway, today I'm writing this e-mail to inform you that our teacher, Ms. Brown, gave us some information which I think will be useful for you. She says she is looking for teaching assistants. You have a teacher's license and want to get involved with English education, don't you? If you are interested, please contact Ms. Brown right away.

See you soon.
Mary

(1) Why has Julia been absent from classes?

1 Because she has become an English teacher.
2 Because she is busy with her part-time job.
3 Because she is looking for a job.
4 Because she helps Ms. Brown with her class.

(2) What does Mary offer to do for Julia?

1 Mary is willing to apply for a job.
2 Mary can help Julia with her homework.
3 Mary offers to teach English to Julia.
4 Mary tries to help Julia catch up with her classes.

(3) Mary suggests that Julia

1 stop job hunting and take a rest.
2 be a teaching assistant in Ms. Brown's class.
3 should attend class more often.
4 study hard so as not to fail the class.

(1) **質問訳** **なぜジュリアは授業を欠席しているのか。** ANSWER 3

解説 2行目に、「就職活動で忙しい」という記述があるため**3**が正解とわかる。**1**は、英語の先生にすでになったわけではないので不適切、**2**のアルバイトについては記述がないので不適切、**4**はアシスタントに実際になったわけではないので不適切。

(2) **質問訳** **メアリーはジュリアに何をすることを申し出ているか。** ANSWER 4

解説 4行目からの内容を整理してまとめる。メアリーが申し出ているのは、ジュリアが欠席していた授業のノートを見せることである。よって正解は**4**となる。

(3) **質問訳** **メアリーはジュリアに＿＿ことを提案している。** ANSWER 2

解説「ブラウン先生のティーチングアシスタントになる」のを勧めることがこのメールを書いた理由であり、ジュリアへの提案でもある。よって正解は**2**となる。

訳

送信者：メアリー
受信者：ジュリア
受信日：9月15日
題名：よい知らせ

ジュリアへ

こんにちは、ジュリア。元気？　一週間も授業に姿を見せないから、淋しいわ。就職活動で忙しいと知っているの。あなたにいい仕事が見つかることを願っている。あなたはきっと見つけるわ。
あなたはかなりたくさんの講義に出られていないから、あなたが自分で勉強できるように、私のノートを貸すつもりよ。だから授業のことは心配しないでね。
ところで今日このメールを書いたのは、私たちの先生であるブラウン先生が、あなたにきっと役立つと思う情報を教えてくれたので、それを伝えたかったの。彼女はティーチングアシスタントを探しているんですって。
あなたは教員免許を持っているし、英語教育に携わりたいと思っているのよね？　興味があれば、すぐにブラウン先生に連絡をとってみて。

またね。
メアリー

Eメールの問題

次の英文の内容に関して、質問に対して最も適切なもの、または文を完成させるのに最も適切なものを **1**、**2**、**3**、**4** の中から一つ選びなさい。

From: Queen's Academy <petrobertson@queensacademy.ac.nz>
To: Hiroshi Sato <hiro_sato_ja@amail.com>
Date: January 14
Subject: Your Inquiry

Dear Mr. Sato,

Thank you for your recent inquiry about our eight-week intensive English course. Please find attached our current brochure and price list.

As you will see, our school is perfectly located for easy access to all transport networks in Wellington. It is a 10-minute commute from the city center.

In addition, we offer home-stay programs to help integrate you into New Zealand life. Most of our home-stay families have had years of experience with us. They provide traditional New Zealand home cooking and a friendly atmosphere.

If you would like to book a home-stay, please fill out the application form at the back of the attached brochure and fax it to me at 64-4-765-87XX at your earliest convenience.

Yours faithfully,

Peter Robertson
Foreign Student Counselor
Queen's Academy

No.7 48

英　文

A：Hello, would you deliver two tuna sandwiches and two Cokes, please?

B：Certainly. Can I have your name and address, please?

A：My name is Jones. I live at 35 West Avenue, on the opposite side of National Park.

B：Alright. I'll be there in 30 minutes.

Question：Where does Mr. Jones want the sandwiches delivered?

英文訳

A：もしもし、ツナサンド２箱とコーラ２缶を配達してください。

B：はい。お名前と住所をお願いします。

A：ジョーンズです。ウエストアベニュー 35、国立公園の向かい側です。

B：わかりました。30分でお届けします。

質問：ジョーンズさんは、サンドイッチをどこへ配達してほしいと思っているか。

選択肢の訳

1 仕事場へ。　**2** 国立公園へ。　**3** 彼の家へ。　**4** 彼の車へ。

解説 deliver は「配達する」の意味。ジョージさんの二つ目のせりふで、I live atと自宅の住所を言っているので、**3**が正解だと考えられる。

No.8 49

英　文

A：Hello, this is Mike. Can I speak to Emily?

B：I'm sorry. She is not here now. She's gone shopping with her friends.

A：OK. I'll call back later. Do you know what time she'll be home?

B：She'll get home around seven, I guess.

Question：What will Mike probably do?

英文訳

A：もしもし。マイクですが、エミリーさんいますか？

B：ごめんなさい。今はいないの。友だちと買い物に出かけているわ。

A：わかりました。後ほど電話します。いつ帰られるかわかりますか？

B：たぶん７時ごろでしょう。

質問：マイクはどうするだろうか。

選択肢の訳

1 エミリーに後で電話する。　**2** 伝言を残す。

3 買い物に行く。　**4** 帰宅する。

解説 I'll call back later.「後ほど電話します」の表現が理解できれば、簡単に答えられる。【参】Would you call me back?「また電話をかけていただけますか？」

第5章 リスニング問題・会話の内容一致選択 B

No.9 50

英文

A：I love Thai food. It's hot and spicy. I had curry and rice in Thailand last year, and it was delicious!

B：Oh, I'm so jealous! I like hot and spicy food, too.

A：Then, try some of this beef. I think you'll like it.

B：Mmmm, this is delicious.

Question：What kind of food do they like?

英文訳

A：タイ料理が好きなんだ。辛くて香辛料がきいているから。昨年タイでカレーライスを食べたけど、おいしかったよ！

B：うらやましい！　私も辛くて香辛料がきいてる食べ物が好きよ。

A：じゃあこの牛肉を食べてごらんよ。気に入ると思うよ。

B：うん、おいしいわね。

質問：彼らはどのような食べ物が好きか。

選択肢の訳

1 熱いスープ。　**2** 鶏肉。

3 中華料理。　**4** 辛くて香辛料のきいた料理。

解説 最初のやり取りに答えがある。料理の味の話題でhotが使われた場合は「辛い」という意味を表す。

No.10 51

英文

A：I'm planning to visit Toronto, Canada this summer.

B：It's one of my favorite places in North America. Actually, I lived there for three years.

A：Great! So you'll be able to answer all my questions about Toronto.

B：Well, maybe I can, Cindy.

Question：When is Cindy planning to visit Toronto?

英文訳

A：今年の夏にカナダのトロントへ行くつもりなんだ。

B：そこ、ぼくの北アメリカでお気に入りの場所の一つだよ。実際、そこに３年住んでいたしね。

A：すごい！　じゃ、トロントについての質問に全部答えられるね。

B：たぶんね、シンディ。

質問：シンディはいつトロントへ行く予定か。

選択肢の訳

1 ３年間。　**2** 今年の夏。

3 友人宅に滞在する。　**4** トロントについてレポートを作成する。

解説 答えは最初のシンディのせりふにある。**2**以外の選択肢はWhenに対する答えになっていないので不適切。

No. 11 52

英　文

A：What has been happening lately?

B：Well, the newspaper says that there was heavy rain in France.

A：Really?　That's terrible.

B：They cannot use the telephone or the Internet because of power failures.

Question：How did the woman get the information about France?

英文訳

A：最近何かあったのかい？

B：新聞によると、フランスで大雨が降ったんですって。

A：本当？　それは大変だね。

B：停電で電話もインターネットも使えないみたいよ。

質問：女性はどのようにしてフランスの情報を手に入れたか。

選択肢の訳

1 新聞で。　**2** インターネットで。

3 テレビのニュースで。　**4** 電話で。

(解説) Bの一つ目のせりふでthe newspaper says that ～「新聞によると～だ」とあるので、新聞から情報を得ていることがわかる。

ANSWER 1

No. 12 53

英　文

A：Did you do anything interesting last weekend?

B：Well, I went to a rock concert and met some nice guys who love tennis.　We are going to get together for a game on Saturday.

A：So you're not going shopping with me?

B：No, sorry.

Question：What is the woman going to do on Saturday?

英文訳

A：この前の週末、楽しいことあった？

B：ロックコンサートへ行ってテニス好きの人たちと会ったわ。土曜日に一緒にテニスをするのよ。

A：それじゃ、ぼくとの買い物には行かないんだね？

B：行かない、ごめんなさい。

質問：女性は土曜日に何をする予定か。

選択肢の訳

1 ロックコンサートへ行く。　**2** 買い物に行く。

3 テニスをする。　**4** 家にいる。

(解説) 最後のBのせりふにあるNo, sorry.は、その前のAのせりふを受けての答えでI'm not going shopping with youと同じ意味。質問の答えは最初のBのせりふにある。

文の内容一致選択

英文を聞き、その質問に対して最も適切なものを **1**、**2**、**3**、**4** の中から一つ選びなさい。

No.1

55

1 Because she felt better than the previous day.
2 Because she was kind enough to help others.
3 Because she recovered from her illness.
4 Because she wanted to keep her promise.

No.2

56

1 Do her homework.
2 Write to her uncle.
3 Clean her room.
4 Do the housework.

No.3

57

1 He will be home with someone.
2 He will watch TV alone in the house.
3 He will play soccer in the park.
4 He will stay in bed without eating anything.

No.4

58

1 He will do his homework.
2 He will clean his room.
3 He will go shopping with his mother.
4 He will go to bed earlier than usual.

Point

●英文が読まれるまでに、選択肢にすばやく目を通しておこう。

●メモをとりながら聞く練習もしよう。

No.5 59

1 He didn't have a chance to see koalas.
2 He has been to Australia three times.
3 He enjoyed seeing a koala the most.
4 His trip lasted for a week.

No.6 60

1 She will go to a beauty salon.
2 She will dry her hair.
3 She will have a hard time washing her hair.
4 She will show off her hair to everyone.

No.7 61

1 Kiss the fish.
2 Bite the fish on the nose.
3 Give the fish to his brother.
4 Take the fish home.

No.8 62

1 Because he took poison.
2 Because he drank wine every day.
3 Because he had never drunk alcohol before.
4 Because he drank too much alcohol at one time.

No.9

63

1 He is getting accustomed to speaking English.
2 He is taking English lessons with his friends.
3 He is not getting along with his teacher.
4 He can now speak English fluently.

No.10

64

1 They can have bad teeth.
2 Most of them are overweight.
3 They are likely to have week bones.
4 They are more likely to develop cancer.

No.11

65

1 Put them away.
2 Give them to his friends.
3 Throw them away.
4 Sell them.

No.12

66

1 Because her watch doesn't work.
2 Because she doesn't have one.
3 Because Michael lost her watch.
4 Because her watch is not really nice.

文の内容一致選択 解答・解説

No. 1 55

英 文

Sarah wasn't feeling well last night. She had a high fever and a bad headache. However, she still helped her brother with his homework as she had promised him the previous day.

Question：Why did Sarah help her brother?

英文訳

サラは昨晩、気分がよくありませんでした。高熱とひどい頭痛があったからです。しかしながら、その前日に約束していたので、弟の宿題を手伝ってあげました。

質問：サラはなぜ弟を手伝ってあげたのか。

選択肢の訳

1 前日よりも気分がよくなっていたから。 **2** 他人を助けてあげるほど親切だから。
3 病気から回復したから。 **4** 約束を守りたかったから。

解説 最終文に「前日に約束していたので」とあるので**4**が正解となる。the previous dayは「その前日」という意味。

No. 2 56

英 文

Stacey is really organized and always finishes her homework on time. She likes to clean her room every weekend, and she makes sure to help her mother do the housework. The only thing she puts off doing is writing to her uncle whom she hasn't liked so much since she was a little girl.

Question：What doesn't Stacey like to do?

英文訳

ステイシーはとてもしっかりしていて、たいてい期限までに宿題をやってきます。週末には自分の部屋を片づけるのが好きで、お母さんの家事を必ず手伝っています。ただ一つ、彼女がすぐにしようとしないのは、子どものころからあまり好きでなかったおじさんに手紙を書くことだけです。

質問：ステイシーがあまりしたくないと思っていることは何か。

選択肢の訳

1 宿題をすること。 **2** おじさんに手紙を書くこと。
3 部屋を掃除すること。 **4** 家事をすること。

解説 6行目にあるput offは「延期する」が本来の意味だが、ここでは「すぐにしようとしない」、つまり「あまりしたくない」と解釈できる。

No.3 57

英　文

Steve has not felt well since yesterday. When he is sick, he loves to have chicken soup and watch TV all day long. He doesn't like to be alone at such times. He prefers to stay home with someone.

Question：What will Steve likely do today?

英文訳

スティーブは昨日から気分が優れません。彼は体調がよくないとき、チキンスープを飲み、一日中テレビを見ているのが好きです。彼はそういうとき、一人でいるのが嫌いです。誰か一緒に家にいてほしいと思っています。

質問：スティーブは今日、どのようにして過ごすだろうか。

選択肢の訳

1 誰かと家で過ごす。
2 家で、一人でテレビを見る。
3 公園でサッカーをする。
4 何も食べずにベッドで安静にしている。

解説 情報を整理することが必要。気分が優れないときにすることは、チキンスープを飲むこと、一日中テレビを見ること、家で誰かと一緒に過ごすこと、である。この情報を適切に表しているのは**1**である。

No.4 58

英　文

Tomorrow is Sunday. The great thing about holidays is that I don't have to get up early to go to school, and I can stay up late the previous night. Unfortunately, I have to clean my room. My mother told me to do that because my aunt will stay with us for a few days next week.

Question：What is the speaker planning to do tomorrow?

英文訳

明日は日曜日です。休日のよいところは、学校に行くために早く起きる必要もなく、前夜は遅くまで起きておけることです。ただ、残念なことに、私は部屋を片づけなければなりません。来週、おばさんが数日滞在するので、母に掃除するよう言われました。

質問：話し手は明日何をする予定か。

選択肢の訳

1 宿題をする。
2 部屋を掃除する。
3 母親と買い物に行く。
4 いつもより早く寝る。

解説 3文目のI have to clean my roomから、**2**が正解。明日は日曜日でゆっくり寝られるはずだったのに、おばさんが来るので片づけをするという、文脈をつかむ。unfortunately「残念ながら」。

No.5 59

英文

Mike enjoyed his first trip to Australia. He went to many places in and around Melbourne. On the third day, he saw some kangaroos at the Melbourne Zoo. But what was more wonderful was that he saw a koala while he was camping.

Question：What is one thing that we learn about Mike?

英文訳

マイクはオーストラリアへのはじめての旅行を満喫しました。彼はメルボルンや周辺の多くの場所へ行きました。旅行の3日目に、メルボルン動物園でカンガルーを見ました。さらにすばらしかったのは、キャンプ中に、コアラを見たことです。

質問：マイクについてわかることの一つは何か。

選択肢の訳

1 コアラを見る機会がなかった。
2 オーストラリアに3回行ったことがある。
3 コアラを見ることを最も楽しんだ。
4 彼の旅行は1週間続いた。

解説 4文目が解答の根拠となる。what was more wonderfulとあるので、3文目に述べた、カンガルーを見たことよりもよかったこと、つまり旅行の中で最もよかったことになる。比較級や最上級は設問にかかわることが多いので、しっかり聞き取ること。

No.6 60

英文

Julie's long hair is really hard to take care of. It takes so long to wash it, and to dry it is even worse. Everyone loves her hair because it's beautiful. But now, in order to save all the trouble, she seems to have decided to get a haircut.

Question：What will Julie do next?

英文訳

ジュリーの長い髪は手入れが本当に大変です。洗髪に時間がかかるし、乾かすのはもっと手間です。彼女の髪は美しいので、みんな彼女の髪が好きです。しかし、今、手入れの手間を省きたいので、彼女は髪を切ることを決めたようです。

質問：ジュリーは次に何をするか。

選択肢の訳

1 美容院に行く。
2 髪を乾かす。
3 髪を洗うのが辛くなる。
4 みんなに髪を見せびらかす。

解説 最終文に「髪を切ることに決めたようだ」とあることから、この次に予測される行動は「美容院に行く」となる。saveは「手間を省く」という意味で使われている。

No.7 61

英 文

On a fishing trip the other day, my brother caught three little fish while Tony caught a really big one. Tony wanted to kiss it just as he had seen someone do on TV, but when he tried to, the fish bit him on the nose.

Question：What did Tony try to do?

英文訳

先日の釣り旅行で、私の兄は小さな魚を3匹釣り、一方、トニーはとても大きな魚を1匹釣り上げました。トニーは、誰かがテレビでやっていたように、その魚にキスしたかったのですが、しようとしたときに鼻をかまれてしまいました。

質問：トニーはどうしようとしたか。

選択肢の訳

1 魚にキスしようとした。
2 魚の鼻にかみつこうとした。
3 彼の兄に魚をあげようとした。
4 魚を家に持って帰ろうとした。

解説 3行目のTony wanted to 以下を注意して聞けばわかる。bite「かむ」はbite【báit】- bit【bít】- bitten【bítn】(bit)と変化するので覚えておく。

No.8 62

英 文

Many young people drink alcohol these days. My friend nearly died from alcohol poisoning because he drank so much too quickly. Drinking a little is OK. It is said that a little wine each day is good for you, but it's dangerous to drink too much.

Question：Why did his friend nearly die?

英文訳

このごろ、たくさんの若者がアルコールを飲みます。私の友だちは、たくさんのアルコールを急いで飲みすぎてアルコール中毒で死にかけました。少し飲むのはいいのです。毎日ワインを少し飲むのは健康にいいそうですが、飲みすぎるのは危険です。

質問：彼の友だちが死にかけたのはどうしてか。

選択肢の訳

1 毒を飲んだから。
2 毎日ワインを飲んだから。
3 それ以前にアルコールを口にしたことがなかったから。
4 アルコールを一度に飲みすぎたから。

解説 一般的な若者の話の中に、友だちの話をおりまぜていることを押さえておこう。そして、質問は友だちのことをたずねている。poisoning「中毒」、poison「毒」。

No.9 63

英　文

I've been attending an English conversation school for three months. At first, I was at a loss for words when asked some questions about my hobbies or my friends. But gradually, I got used to speaking English. Now, I can respond to my teacher's questions in one way or another.

Question：What is one thing that we learn about the speaker?

英文訳

私は3か月間英会話スクールに通っています。最初、趣味や友だちについて質問されたとき、私は言葉につまっていました。しかし、徐々に英語を話すことに慣れてきました。今では先生の質問になんとか返答できています。

質問：話し手についてわかることの一つは何か。

選択肢の訳

1 英語を話すことに慣れてきている。
2 英語の授業を友人と受けている。
3 先生とうまくやっていけていない。
4 今や英語を流ちょうに話せる。

解説　3文目にあるI'm getting used to speaking English.を言い換えた**1**が正解である。get used to ～もget accustomed to ～も「～に慣れる」という慣用表現。one way or another「何とかして」。

No.10 64

英　文

Many people have a sweet tooth. These people love to eat sweets. They prefer cake to chips, would rather have chocolate than pizza, and would happily eat donuts rather than popcorn. They just have to be careful about their teeth.

Question：What problem do those who love sweets have?

英文訳

甘党の人はたくさんいます。こういう人たちは甘い物を食べるのが本当に好きです。ポテトチップスよりケーキ、ピザよりチョコレートを好み、ポップコーンよりドーナツを喜んで食べます。ただ歯には注意が必要ですが。

質問：甘い物を好む人々が抱える問題は何か。

選択肢の訳

1 虫歯になる可能性がある。
2 ほとんどの人が肥満である。
3 骨が弱くなる可能性がある。
4 ガンになる可能性がより高くなる。

解説　最終文に「歯には注意が必要だ」とあることから推測すると**1**が正解となる。have bad teethで「虫歯になる」という意味。またここでのcanは可能性を表し、「あり得る」と訳す。

No. 11 65

英　文

Peter likes to give away things he no longer uses to his family and friends. He thinks this is much better than throwing them away. His family and friends are glad that they can get free stuff and have also started to give away things they don't need.

Question：What doesn't Peter like to do with the things he no longer uses?

英文訳

ピーターは、自分が使わなくなった物を家族や友だちにあげるのが好きです。彼は、そうすることが捨てるよりずっといいことだと考えています。彼の家族や友だちは、ただで物がもらえて喜んでいます。そして、彼らも必要がなくなった物を人にあげるようになりました。

質問：ピーターは、もう使わなくなった物をどうすることが嫌いか。

選択肢の訳

1 片づけること。
2 友だちにあげること。
3 捨ててしまうこと。
4 売ること。

解説 3行目のHe thinks this ～ awayに注目。throw awayは「捨てる」の意味で、thisは「家族や友だちにあげること」を指している。つまり文中では「捨てるよりあげた方がずっといい」と、捨てることを否定的にとらえている点に注目する。no longer ～「もう～でない」。

No. 12 66

英　文

Michael wants to buy a nice watch for his mother because hers is broken. At the moment he doesn't have enough money, so he needs to save for another three months before he can buy her a really nice watch.

Question：Why does Michael's mother need a new watch?

英文訳

マイケルはいい時計をお母さんに買ってあげようと思っています。なぜなら、お母さんの時計が壊れているからです。今は十分なお金がないので、本当にいい時計を買ってあげるには、あと3か月間、貯金する必要があります。

質問：なぜマイケルのお母さんには、新しい時計が必要なのか。

選択肢の訳

1 彼女の時計が動かないから。
2 彼女が時計を持っていないから。
3 マイケルが彼女の時計をなくしたから。
4 彼女の時計がたいしてよくないから。

解説 1文目に注目。hers = her watch。brokenは「故障している」の意味。選択肢では、doesn't workで、故障していることを言い換えている。

文の内容一致選択

英文を聞き、その質問に対して最も適切なものを **1**、**2**、**3**、**4** の中から一つ選びなさい。

No.1

68

1 Because he was injured in a skiing accident.
2 Because his previous operation did not succeed.
3 Because he was suffering from pain throughout his body.
4 Because he had a car accident.

No.2

69

1 He was scolded by his professor for his laziness.
2 He may fail his math test.
3 He is not good at mathematics.
4 He cannot solve the math problem.

No.3

70

1 She thinks she doesn't look like her parents.
2 She believes she takes after her mother in appearance.
3 The way she talks sounds just like her father.
4 She resembles her mother in every respect.

No.4

71

1 Cooking.
2 Studying French.
3 Looking through fashion magazines.
4 Learning about French culture.

No.5

72

1 Try delicious food in Vietnam.
2 Go to Vietnam.
3 Buy traditional Vietnamese clothes.
4 Have a good time on the beaches.

No.6

73

1 He will stay at an excellent hotel.
2 He will enjoy talking with his pen-pal's family.
3 He will do nothing but talk with his friend.
4 He will see the sights in Portugal.

No.7

74

1 Once a month.
2 Once a year.
3 Every six months.
4 Every two years.

No.8

75

1 She will go to a baseball game for the first time.
2 She has gone to several baseball games.
3 She doesn't like baseball because people often shout.
4 She likes baseball because her husband is a baseball player.

No.9

 76

1 Because he had no plan and was very bored.
2 Because his friends didn't show up.
3 Because he was kept waiting for sixty minutes.
4 Because it was raining all day long.

No.10

77

1 Listen to George.
2 Write an essay.
3 Read their friend's essay.
4 Talk with their classmates.

No.11

78

1 To exercise regularly.
2 To eat a lot.
3 Not to go out very often.
4 Not to sleep too much.

No.12

 79

1 Talk with friends while watching movies.
2 Go to the movies with her friends.
3 Rent a scary movie.
4 Watch a scary movie alone.

頻出度 B 文の内容一致選択 解答・解説

No. 1 68

英　文

Alex had his first operation two years ago. He had a skiing accident and had to stay in the hospital for two weeks. A month after that, he had a second operation because it turned out that his first operation did not go well.

Question：Why did Alex have the first operation?

英文訳

アレックスは２年前に最初の手術を受けました。彼はスキーで事故にあい、２週間入院しなければなりませんでした。その１か月後、彼は二度目の手術を受けました。なぜなら、彼の最初の手術がうまくいっていなかったことがわかったからです。

質問：アレックスが最初の手術を受けた理由は何か。

選択肢の訳

1 スキーの事故でけがをしたから。
2 以前の手術が成功していなかったから。
3 体中の痛みに苦しんでいたから。
4 車の事故にあったから。

解説　２文目に、「スキーで事故にあい」とあるため**1**が正解。the first operation「最初の手術」と言っているので、それより前の手術は存在しない。したがって**2**のpreviousは不適切である。

No. 2 69

英　文

Phillip goes to a famous university, and is an industrious student. He seldom makes silly mistakes. But yesterday, he did. He forgot to write his name on his math exam. He was very upset and excused himself for his mistake, but his professor wouldn't listen to him.

Question：What problem does Phillip have?

英文訳

フィリップは有名な大学に通う勤勉な学生です。彼は、愚かな間違いをすることはめったにありません。しかし昨日、彼は愚かな間違いをしてしまいました。数学のテストの答案に名前を書くのを忘れたのです。彼はとてもうろたえ、自分の間違いを弁解しましたが、教授は聞く耳を持ってくれませんでした。

質問：フィリップはどのような問題を抱えているか。

選択肢の訳

1 怠けたことで教授に叱られた。
2 数学のテストで落第するかもしれない。
3 数学が苦手である。
4 数学の問題が解けない。

解説「間違いをしてしまい、そのことを教授に弁解しようとしたが聞いてもらえなかった」という状況から推測する。直接的な記述はないが、状況を適切にとらえ、消去法で選択肢をしぼっていく。

No.3 🎧70

英　文

Some people say Lucy looks like her mother because of her nose and eyes. Others think she looks more like her father because of her eyebrows and smile. But Lucy doesn't think she looks like either of her parents.

Question：What is one thing that we learn about Lucy?

英文訳

ルーシーは鼻や目が母親に似ているという人がいる。まゆ毛や笑顔が父親の方にそっくりだという人もいる。しかしルーシー自身は、彼女は両親のどちらにも似ていないと思っている。

質問：ルーシーについてわかることの一つはどれか。

選択肢の訳

1 両親に似ていないと思っている。
2 外見が母親に似ていると信じている。
3 話し方が父親のようだ。
4 あらゆる点で母親に似ている。

解説 情報の整理がポイントになる。他人の意見と、ルーシー自身の意見を整理して把握する。3文目にあるように、ルーシー自身は、両親のどちらにも似ていないと思っているのである。

No.4 🎧71

英　文

My sister is crazy about anything related to France. She loves the language, culture, fashion, and most of all she loves the food. She doesn't like to cook, but she does spend a lot of time studying French and looking through fashion magazines from France.

Question：What's one thing his sister doesn't spend a lot of time doing?

英文訳

私の妹は、フランスのものが何でも大好きです。彼女は、フランスの言葉、文化、ファッション、そして特に食べ物が好きです。彼女は料理が好きではありませんが、フランス語の勉強とフランスのファッション雑誌を眺めることには時間を惜しみません。

質問：彼の妹が時間を割こうとしないのは、どんなことについてか。

選択肢の訳

1 料理すること。
2 フランス語を勉強すること。
3 ファッション雑誌を見ること。
4 フランスの文化について学ぶこと。

解説 3文目にあるShe doesn't like to cook「彼女は料理をすることが好きではありません」という部分がポイント。文中では時間について直接は述べられていないので、文脈から推測する。

第5章 リスニング問題・文の内容一致選択 B

No.5 72

英 文

Many people are interested in going to Vietnam for their holidays. Nearly all of my friends want to get traditional Vietnamese clothes. Some want to try the delicious food and have a great time on the beaches, while others want to go shopping because everything is so cheap there.

Question：What do most of her friends want to do?

英文訳

休暇にベトナムに行きたいと考えている人はたくさんいます。私の友だちのほとんどがベトナムの伝統的な衣装をほしがっています。おいしいものを食べて、ビーチで楽しみたいという人もいますし、現地は何もかも安いので、買い物に行きたいという人もいます。

質問：彼女の友だちのほとんどがしたいと考えていることは何か。

選択肢の訳

1 ベトナムでおいしいものを食べること。
2 ベトナムへ行くこと。
3 ベトナムの伝統的な衣装を買うこと。
4 ビーチで楽しむこと。

解説 2行目の Nearly all of my friends「友だちのほとんど」が、質問では most of her friendsに言い換えられている。つまり、Nearly以下の内容が正解。

ANSWER 3

No.6 73

英 文

Henry has been exchanging letter with his pen-pal in Portugal for three years. He is going to go to Portugal and stay with him for a week. They will go sightseeing and shopping. At night, they will enjoy talking. They have a lot to talk about.

Question：What is Henry planning to do during his stay in Portugal?

英文訳

ヘンリーはポルトガルの文通相手と3年間文通を続けています。彼はもうすぐポルトガルを訪れて、1週間その友だちと過ごす予定です。彼らは観光とショッピングをするつもりです。夜にはおしゃべりを楽しむでしょう。話すことがたくさんあります。

質問：ヘンリーはポルトガルでの滞在中に何をする予定か。

選択肢の訳

1 豪華なホテルに滞在する。
2 文通相手の家族と会話を楽しむ。
3 友だちとの会話だけをする。
4 ポルトガルの名所を訪れる。

解説 3文目のdo some sightseeing「観光する」を言い換えたのが、**4**の see the sights「名所を訪れる」なのでこれが正解。pen-pal「文通相手」。

ANSWER 4

No.7 74

英　文

Buñol is a small town in Spain. Once a year, this town holds a festival called "La Tomatina." Lots of people come to the festival and throw tomatoes at each other. It's a lot of fun but you have to be careful not to get hit in the eye.

Question：How often does Buñol have this festival?

英文訳

ブニョールはスペインの小さな町です。年に一度、この町で「ラ・トマティーナ」というお祭りが催されます。大勢の人がこのお祭りに来て、互いにトマトを投げ合います。とてもおもしろいのですが、トマトが目に当たらないように注意しなければなりません。

質問：ブニョールでの、このお祭りの頻度はどのくらいか。

選択肢の訳

1 月に一度。
2 年に一度。
3 6か月に一度。
4 2年に一度。

解説 How often で「頻度」をたずねている。1行目のonce a year「年に一度」をしっかり聞き取ることがポイント。

No.8 75

英　文

Monique thinks baseball looks like a lot of fun. The crowd seems to have lots of energy and they scream very loud to encourage their favorite team. She has only seen baseball on TV, but her husband gave her a ticket for a baseball game.

Question：What is one thing we learn about Monique?

英文訳

モニークは野球をおもしろそうだと思っています。観衆はずいぶん活気があって、お気に入りのチームを応援しようと大声で叫びます。彼女はこれまでテレビで野球を見たことしかありませんでしたが、夫が野球の試合のチケットをくれました。

質問：モニークについてわかることの一つはどれか。

選択肢の訳

1 生まれてはじめて野球の試合を見に行くだろう。
2 これまでに数回、野球の試合を見たことがある。
3 人々がよく叫ぶので野球が好きではない。
4 夫が野球選手なので、野球が好きだ。

解説 3文目が解答の根拠となる。これまではテレビでしか野球を見たことがなかったが、夫が野球の試合のチケットをくれたとあるので、これから野球の試合を実際に見に行くことが推測される。

No.9 76

英 文

Vinny always has a good time with his friends, except for last Friday. His friends came late to the meeting place and he had to wait for them for a whole hour. When they finally came, it started to rain and none of them had an umbrella.

Question：Why didn't Vinny have a good time last Friday?

英文訳

ビニーはいつも友だちと楽しく過ごしています。ただ、この前の金曜日は例外でした。友だちが約束の場所に遅れて来たので、彼はそこで丸1時間、待たなければならなかったのです。友だちが来たころには雨が降りだし、誰も傘を持っていなかったのです。

質問：なぜビニーは、先週の金曜日に楽しく過ごせなかったのか。

選択肢の訳

1 予定がなくてとても退屈だったから。
2 友だちが来なかったから。
3 60分も待たされたから。
4 一日中雨が降っていたから。

解説 2文目が解答の根拠となる。友だちが約束に遅れて1時間待たされたとあるので**3**が正解。本文ではa whole hourとなっているが、選択肢はsixty minutesと言い換えているので注意が必要。

No.10 77

英 文

Let's begin today's class. In the previous lesson, I asked you to write an essay about your favorite things. Today, I want you to read your essay in front of your classmates. OK, George, you'll go first! Everyone else should listen to him carefully, and ask questions later. Now, let's begin!

Question：What should the students do next?

英文訳

授業を始めましょう。前回の授業で、好きな物についてのエッセイを書くように指示しましたね。今日はクラスメートの前で、皆さんのエッセイを読んでください。ジョージ、あなたが最初です！ ほかのみんなは注意深く彼の話を聞いて、後で質問をしてください。では始めましょう！

質問：生徒たちが次にするべきことは何か。

選択肢の訳

1 ジョージの話を聞く。
2 エッセイを書く。
3 友だちのエッセイを読む。
4 クラスメートと話す。

解説 自分の書いたエッセイを発表し合うという状況で、ジョージが一番に指名されている。この後生徒たちはジョージの話を聞くことになると推測される。

No. 11 78

英文

To be healthy is one of the most important things in life. There are many ways to stay healthy, and one way is to exercise regularly. Some people go to the gym; others go for long walks; some love to swim. It doesn't matter what kind as long as you exercise.

Question：What's one way to stay healthy?

英文訳

健康でいることは人生で最も大切なことの一つです。健康を維持する方法はたくさんあります。その一つは定期的に運動することです。ジムに行く人もいれば、長い散歩をする人もいるし、泳ぐのが好きな人もいます。運動さえすれば、何をやろうと問題ではありません。

質問：健康を維持する一つの方法は何か。

選択肢の訳

1 定期的に運動をすること。
2 たくさん食べること。
3 あまり外出しないこと。
4 あまり長時間、寝ないこと。

解説 4行目のto exercise regularly「定期的に運動すること」がポイント。as long as ～「～である限りは」。

No. 12 79

英文

The last movie Sherry saw was quite scary. It was even scarier because she was watching by herself. Sherry thinks that she will not make this mistake again. Watching a scary movie with friends is fun, but watching by herself is another story.

Question：What will Sherry never do again?

英文訳

シェリーが最後に見た映画は、かなり怖い映画でした。一人で見ていたので、よけいに怖く感じたのです。彼女は、もう二度と同じ失敗はしないでおこうと考えています。友だちと一緒に怖い映画を見るのは問題ありませんが、一人で見る場合はそういうわけにいきません。

質問：シェリーがもう二度とするまいと思っていることは何か。

選択肢の訳

1 映画鑑賞中に友だちと話すこと。
2 友だちと映画に行くこと。
3 怖い映画を借りること。
4 一人で怖い映画を見ること。

解説 3行目にあるby herself「一人で」が、選択肢では alone で言い換えられている。scary「怖い」。

column 5 推理クイズ

次のヒントを手がかりに、デイビッド、マイク、アン、ベス、スティーブが百貨店で何を、いくらで、どこの階で買ったかを考えましょう。

David, Mike, Anne, Beth and Steve went shopping yesterday. They all went to the same department store. Each person bought only one item. They, however, made different purchases. From the clues below, please guess what each of them bought, what floor he or she went to, and how much he or she spent.

Clues

1 There are four floors in the department store. The first floor has clothes and jewelry. The second floor has toys and stationery. The third floor has furniture and electrical appliances. The fourth floor has sports items.

2 Only Mike and Anne bought something on the same floor.

3 The woman who bought the coffeemaker spent $45.

4 One person bought a stuffed animal for $20.

5 Steve bought a bracelet.

6 Mike spent 5 times more money than Steve.

7 The bed cost $400.

8 The tennis racket cost as much as the bracelet.

9 David went to the fourth floor.

	Items each bought	The price each cost	The floor each went to
David			
Mike			
Anne			
Beth			
Steve			

(Answer)

	Items each bought	The price each cost	The floor each went to
David	A tennis racket	$80	The fourth floor
Mike	A bed	$400	The third floor
Anne	A coffeemaker	$45	The third floor
Beth	A stuffed animal	$20	The second floor
Steve	A bracelet	$80	The first floor

第6章

二次面接試験

Pre-2nd Grade

音声アイコンのある問題は、音声を聞いて答える問題です。
音声はスマートフォンやパソコンでお聞きいただけます。
詳細は6ページをご参照ください。

対策ポイント 二次面接試験

二次試験は一次試験合格者に対して、面接委員と受験者の、英語による1対1のインタビュー形式で行われます。言うまでもなく、ここでは英語のコミュニケーション力が試されます。

面接試験の流れと注意

Point 1

面接室への入室 ➡ まずはリラックスして対応

面接室へ入ると、一人の面接委員が座っています。面接委員は、May I have your card, please? と言うので、Here you are. と言って面接カードを面接委員に渡してください。その後、Please have a seat.「どうぞお座りください」と言われたら、Thank you. と答えて着席しましょう。

Point 2

氏名と受験級の確認 ➡ 笑顔で答えよう

着席後、面接委員は My name is ～.と言って、自己紹介を始めます。その後 May I have your name, please?「お名前を教えてください」と名前を聞きますのではっきりと答えましょう。面接委員は次に、受験級が準2級であることを確認する質問をします。This is the grade pre-2nd test, OK? などと言われたら、Yes. と答えましょう。

Point 3

パッセージの黙読 ➡ しっかり内容をつかむ

簡単な挨拶が終わると、面接委員はNow, here's your card. Please read the passage silently for twenty seconds.「さて、これがあなたの問題カードです。20秒間黙読してください」と言って、カードを渡します。そして、カードの上にある50語ほどのパッセージを黙読します。20秒しかありませんが、パッセージの内容をしっかりつかむようにしてください。

Point 4

パッセージの音読 ➡ あわてず正確に読む

黙読の後に、All right. Now, this time, please read it aloud.「では、今度は声を出して読んでください」と、音読するよう指示されます。タイトルから読んでください。ここですべきことは、内容の再確認です。ゆっくり正確に読みながら、これから出題される質問に備えましょう。

注意する点は、区切る箇所、イントネーション、アクセント、発音です。特に、不自然な区切り方で読むと、文の意味をよく理解していないということが面接委員に伝わってしまいます。ふだんから音読練習をしておきましょう。

Point 5

Q & A ➡ 大きな声ではっきり答える

音読が終わると、面接委員から五つの質問を受けます。大きな声で面接委員の目を見て答えてください。内容は以下の３点です。

①パッセージに関する質問
②カードのイラストに関する質問
③あなたに意見を求める質問

質問が聞き取れなかった場合は、もう一度言ってもらえます。
聞き返す言い方は必ず覚えておきましょう。

例 I beg your pardon? / Could you say that again? /
Would you please repeat the question?

Point 6

退室 ➡ 笑顔で退室しよう

Q & A が終わると、面接委員は Could I have the card back, please?「問題カードを私に返してください」と言って、試験が終わったことを告げます。まだ緊張しているかもしれませんが、笑顔でお礼を言って退室しましょう。Have a nice day.「よい一日を」などと言って、余裕を見せられれば上々です。

例題 二次面接試験 

実際は流れが変わる場合があります。

例題

Purposes for Visiting Japan

Today, many foreigners visit Japan to see beautiful scenery such as Mt. Fuji, or old temples in Kyoto. However, it seems that young people come to Japan for a slightly different reason. They come to Japan to buy Japanese anime goods and comic books. Akihabara is the most popular place for them.

A

B

Questions

(No.1) According to the passage, why do young foreigners come to Japan?

(No.2) Now, please look at the people in Picture A. They are doing different things. Tell me as much as you can about what they are doing.

(No.3) Now, look at the woman with a big box in Picture B. Please describe the situation.

Now, Mr. /Ms. _____, please turn over the card and put it down.

(No.4) Do you think elementary school students should study English?
Yes. → Why? /No. → Why not?

(No.5) Today, many people study abroad. Do you want to study abroad someday in the future?
Yes. → Why? /No. → Why not?

例題の訳

日本への訪問目的

今日、多くの外国人が、富士山のような美しい景色や、京都にある古いお寺などを見たいと思って日本を訪れています。しかし、若い人は少し違った理由で日本にやって来ているようです。彼らは、日本のアニメのグッズやマンガを買うために日本を訪れます。秋葉原が彼らにとって最も人気のある場所です。

質問例と回答例

(No.1) 訳 文章によると、若い外国人が日本を訪れる理由は何か。

解説 3文目に理由が述べられている。

回答例 Because they want to buy Japanese anime goods and comic books.

(No.2) 訳 Aの絵を見てください。絵の中の人々は様々なことをしています。彼らが何をしているかについてできる限りたくさん話してください。

解説 絵の中の人物が何をしているかを的確に判断し、できるだけたくさん説明する。難しい表現を使わず、簡単な単語を使うのがポイント。

回答例 An old woman is reading a book on the bench. /A man is jogging. /An old man is taking a walk with his dog. /A girl is giving water to the flowers. /Two boys are playing catch.

(No.3) 訳 Bの絵の大きな箱を持った女性を見てください。状況を描写してください。

解説 手がふさがっていてドアを開けられずに困っているという状況を的確に説明する。in her handsのように、handを複数形にする。

回答例 She cannot open the door because she has a big box in her hands.

訳 さて、＿＿さんカードを裏返してください。

(No.4) 訳 あなたは、小学生は英語を学習するべきだと思いますか。はい。→なぜですか。/いいえ。→なぜですか。

解説 YesとNoどちらを選んでもよいので、明確な根拠を提示する。

回答例 Yes.→Young children learn new things more easily and quickly. So, I think children should start learning English as early as possible. No.→They should master Japanese first. I hear that many young children cannot write or read kanji correctly.

(No.5) 訳 今日、多くの人が留学しています。あなたは将来、留学したいと思いますか。はい。→なぜですか。/いいえ。→なぜですか。

解説 自分の意見を言いやすい方を選ぶ。外国に留学することの利点として、broaden one's horizons「視野を広げる」などが挙げられる。

回答例 Yes.→By studying abroad, I can learn different cultures or customs. It broadens my horizons. /No.→It costs a lot to study abroad. In addition, living alone in a foreign country can be dangerous.

模擬試験

・筆記〈80分〉
・リスニング〈約25分〉

筆記

1 次の (1) から (15) までの (　　) に入れるのに最も適切なものを **1**、**2**、**3**、**4**の中から一つ選びましょう。

(1) In an (　　), students have to stay calm and follow the instructions of their teacher.

1 opinion　　**2** emergency
3 enemy　　**4** electricity

(2) **A**：Where shall we go next Sunday?
B：How about going to the (　　)? I want to see various kinds of fish there.

1 audience　　**2** conference
3 population　　**4** aquarium

(3) Kate studied hard and finally got the (　　) to study abroad. She is very happy with that now.

1 opportunity　　**2** author
3 exhibition　　**4** tourist

(4) The disease (　　) to a lot of countries soon after it was discovered.

1 admitted　　**2** spread
3 discussed　　**4** fought

(5) Tommy is not very smart, so he always (　　) on his brother when he does his homework.

1 depends　　**2** stares
3 orders　　**4** worries

(6) It seems that a traffic accident has happened over there. Now the police are (　　) the scene carefully.

1 guiding　　**2** proving
3 examining　　**4** selecting

(7) Emma got a bad score on the test, so her mother didn't (　　) her to go out and play.

1 insist　　**2** quit
3 allow　　**4** prevent

(8) John (　　) spends his money. He is saving it for the future.

1 always　　**2** seldom
3 eventually　　**4** usually

(9) This vase is so thin that it will be easily broken if you don't treat it (　　).

1 completely　　**2** fortunately
3 especially　　**4** properly

(10) Greg is not good at driving, so he is always (　　) when he drives.

1 satisfied　　**2** nervous
3 fresh　　**4** excellent

(11) **A**：Mom, can I play outside with my friends?
B：No. You must (　　) your sister at home.

1 take care of　　**2** catch up with
3 get rid of　　**4** put up with

(12) (　　) the weather forecast, it will be sunny tomorrow.

1 In terms of　　**2** Compared with
3 To begin with　　**4** According to

(13) Automobiles are very useful and today we see them everywhere. It is said that they (　　) a great change in our lives.

1 got over　　**2** made up for
3 dealt with　　**4** brought about

(14) When Jane was hiking in the mountain, she heard a wolf barking (　　).

1 in the distance　　**2** for free
3 in common　　**4** at any cost

(15) The building is (　　) construction now and is going to be open again next month. A lot of people will visit it.

1 of　　**2** over
3 under　　**4** above

2 次の会話文を完成させるために、(16) から (20) に入るものとして最も適切なものを **1**、**2**、**3**、**4**の中から一つ選びましょう。

A：Good evening, sir. What kind of shoes are you looking for?
B：I'd like red sneakers with white stripes.
A：I am sorry. (16)
B：I see. I'll take another pair of shoes, then.

(16)
1 Why do you like such shoes?
2 I will get you those as soon as possible.
3 We don't have such sneakers now.
4 We have those on that shoe rack.

A：James, let's play baseball after school.
B：That's good. (17)?
A：The park next to my house is great for baseball, isn't it?
B：Certainly. See you later.

(17)
1 Where did you play baseball in your childhood
2 Where shall we play baseball
3 What time should I come here
4 How do we get to the park

A：Excuse me, sir. Could you tell me the way to the museum?
B：Sure. Go down this street and turn left at the third corner.
A：Thank you. (18)?
B：About fifteen minutes.

(18)
1 How often do you go to the museum
2 What time does the museum close
3 When will the train arrive at the station
4 How long does it take to get there

A : Betty, what are you doing this weekend?
B : (19).
A : That sounds good. You can swim and sunbathe there.
B : Yes. I'm looking forward to it so much. How about you, Jessica?
A : I don't have any plans yet.
B : Oh, why don't you go to the new Italian restaurant?
A : Umm. (20). The food was so delicious.
B : I'm so jealous.

(19) **1** I'll be studying all day long
2 I'm going to the beach with my family
3 I'll do some exercise alone
4 I'll go to the indoor swimming pool by train

(20) **1** Actually, I've already been there
2 I'm looking forward to going to the restaurant
3 Actually, I don't like Italian food
4 I've never been to the restaurant

3 次の英文A,Bを読み、その文意にそって (21) と (22) の (　　) に入れるのに最も適切なものを **1**、**2**、**3**、**4**の中から一つ選びなさい。

My Grandmother's Dream

My grandmother is always happy and smiling. I thought she had never been sad in her life, but then, she told me a story about a time when she was once sad.

When my grandmother was young, she loved jazz music and wanted to be a saxophonist, but her family was so poor that she could not afford to (**21**). She worked part-time to save money, bought a used saxophone, and taught herself to play. She practiced hard every day, but one day it got broken from overuse. She had no money to have it repaired or buy a new one, so she gave up on her dream. She still regrets it.

After hearing this, I talked to my parents, and we planned (**22**). We saved up the money and finally gave it to her as a present for her birthday. Although I saw her cry for the first time, she looked so happy too.

(21)
1 improve performance techniques
2 learn at music school
3 change her job
4 waste money

(22)
1 to sing in front of her
2 to hold a jazz concert for her
3 to buy a saxophone
4 to participate in a singer's tour

次の英文A,Bの内容に関して、(23) から (29) までの質問に対して最も適切なもの、または文を完成させるのに最も適切なものを**1**、**2**、**3**、**4**の中から一つ選びなさい。

From: Karen Anderson <karenA_0612@thesemail.com>
To: Alex Harrison <Alexlex_h333@bitmail.com>
Date: August 3
Subject: Our London Trip

Dear Alex,

Hi Alex, how are you getting ready for our trip to London in August? Is everything going well?
By the way, I would like to discuss our plan with you. We've already decided to have lunch near the Thames after visiting Buckingham Palace. But we haven't decided where to go in the evening, have we? I was searching the Internet to find out a great place to visit in London, when I came up with a great idea!
Why don't we go watch a musical before dinner? Musicals are very famous in London, and I think we will have a lot of fun. I don't know if we can make reservations, but I would like to go to the Royal Albert Hall. What do you think? If you agree with my idea, I'll look into reserving seats for the musical.
Also, I'd like to go to a fancy restaurant! If you have time, could you find me a nice restaurant? Once you find a restaurant with a nice atmosphere, could you send me the link*? I'm looking forward to your choices.

Your friend,
Karen

*link：リンク、接続

(23) Why did Karen send this e-mail?

1 Because she wanted to discuss their travel plan.
2 Because she wanted to cancel their trip.
3 Because she wanted to confirm hotel reservations.
4 Because she is planning a trip in July.

(24) What do they plan to do after visiting Buckingham Palace?

1 They plan to have a picnic in the garden.
2 They plan to have lunch near the river.
3 They plan to visit museums in London.
4 They plan to eat dinner at a restaurant.

(25) What can they do at the Royal Albert Hall?

1 They can meet famous actors.
2 They can learn choral singing.
3 They can participate in the musical.
4 They can see a musical play.

The High Line

The High Line, a hanging garden in Manhattan, New York City, is a place of recreation and relaxation for the public. This 1.45-mile-long park has been known as a natural space since it was completed in 2009 and is visited by as many as 8 million people annually.

The park was built on the site of a railroad track. The High Line was an elevated railroad built in the mid-19th century. However, with the decline of rail transportation in New York City, the line was abandoned in the 1980s and left in place for 25 years. For many years it was in danger of demolition, but through the steady efforts of local supporters, it was saved from demolition and transformed into a beautiful green park. However, the High Line has brought more than just beautiful scenery to the city. The High Line's plantings provide two positive benefits to the city of New York as the "longest green roof in the world."

First, it reduces stormwater runoff*. In a concrete-covered city like New York, heavy rains can cause flooding damage because water does not soak into the ground. The High Line, covered with soil and vegetation, temporarily stores rainwater and prevents the city from flooding.

Second, it is also effective in combating the heat island effect. The park's vegetation mitigates* the heat from the streets and buildings. They also provide shade, making them an important living place for birds and insects.

However, abandoned lines have not been completely removed. Parts of the tracks remain on the High Line as part of the design. Rather than changing everything from the past, we are passing it on as a part of our history.

*runoff：流出　*mitigate：和らげる

(26) What was the High Line before it became a park?

1 It was a wonderfully designed structure.
2 It was a beautiful natural space.
3 It was an elevated railroad track.
4 It was a subway railroad.

(27) The High Line ____

1 is covered with concrete.
2 was completed in 2007.
3 was abandoned for 19 years.
4 is known as the longest green roof in the world.

(28) What effect does the High Line have during heavy rain?

1 It keeps beautiful scenery.
2 It dries water quickly.
3 It temporarily stores rainwater.
4 It causes flooding.

(29) Why is the track still there on part of the High Line?

1 To pass it on as part of the history.
2 To rebuild the railroad.
3 To be a habitat for birds.
4 To destroy the scenery.

5　ライティング（Eメール）

●あなたは、外国人の知り合い（Joe）から、Eメールで質問を受け取りました。この質問にわかりやすく答える返信メールを、[　]に英文で書きなさい。

●あなたが書く返信メールの中で、JoeのEメール文中の下線部について、あなたがより理解を深めるために、下線部の特徴を問う具体的な質問を2つしなさい。

●あなたが書く返信メールの中で[　]に書く英文の語数の目安は40～50語です。

●解答がJoeのEメールに対応していないと判断された場合は、0点と採点されることがあります。JoeのEメールの内容をよく読んでから答えてください。

●[　]の下のBest wishes, の後にあなたの名前を書く必要はありません。

Guess what!

The restaurant I often visit with my family has introduced a robot which carries dishes to our table! I was really surprised to see the robot coming to our table with dishes. This kind of robot is really helpful because it can do much of the work instead of human staff. Also, it makes few mistakes because it follows our instructions. Do you think more robots will be introduced in the future?

Your friend,
Joe

Hi, Joe!

Thank you for your e-mail.

解答欄に記入しなさい。

Best wishes,

6 ライティング（英作文）

●あなたは、外国人の知り合いから以下のQUESTIONをされました。
●QUESTIONについて、あなたの意見とその理由を２つ英文で書きなさい。
●語数の目安は50 ～ 60語です。
●解答がQUESTIONに対応していないと判断された場合は、0点と採点されることがあります。QUESTIONをよく読んでから答えてください。

QUESTION
Do you think students should wear uniforms at school?

MEMO

リスニング

このリスニングテストには、第１部から３部まであります。

第１部…対話と選択肢を聞き、その最後の文に対する応答として最も適切なものを**1**、**2**、**3**の中から一つ選びなさい。問題用紙に選択肢は印刷されていません。

第２部…対話を聞き、その質問に対して最も適切なものを**1**、**2**、**3**、**4**の中から一つ選びなさい。

第３部…英文を聞き、その質問に対して最も適切なものを**1**、**2**、**3**、**4**の中から一つ選びなさい。

各問題の解答時間は10秒です。

第１部 82 ～ 91

No.1 ～ No.10

第２部 92 ～ 101

No.11

1 He asked questions on the Internet.
2 He bought a book on his topic.
3 He interviewed his father.
4 He read some articles.

No.12

1 He is choosing an umbrella.
2 He is preparing for the camp.
3 He is putting on a down jacket.
4 He is watching the weather forecast.

No.13

1 He cannot find where the elevator is.
2 He couldn't find the lost-and-found office.
3 He lost his way in the shopping mall.
4 He may have lost his wallet.

No.14

1 She books on the wrong day.
2 She changes her schedule.
3 She needs to attend a birthday party.
4 She wants to go to the restaurant.

No.15

1 They went to see animals.
2 They enjoyed fishing.
3 They had the local food.
4 They bought many souvenirs.

No.16

1 He injured his right arm.
2 He fell down during the soccer game.
3 He hit his arm on the table.
4 He broke his bike.

No.17

1 She is interested in presentation classes.
2 She is good at listening to English.
3 She has to make a speech in America.
4 She will attend meetings in America.

No.18

1 Go to a hospital and receive treatment.
2 Go to see his mother right away.
3 Take medicine to relieve his headache.
4 Tell the professor about his absence.

No.19

1 Apply for a scholarship.
2 Continue to study math.
3 Go to study art.
4 Leave Finland.

No.20

1 Ask their teacher some questions.
2 Enjoy having lunch.
3 Go to buy a book on math.
4 Study together in a café.

第3部 102～111

No.21

1 Go to a university abroad.
2 Play the piano at the school festival.
3 Praise her wonderful performance.
4 Put her performance on the Internet.

No.22

1 Play tennis outside.
2 Borrow some books from the library.
3 Draw pictures on sketchbooks.
4 Go out to buy toys.

No.23
1 She will go to see a French movie.
2 She will learn French language and culture.
3 She will read books at home.
4 She will tour around her school.

No.24
1 She helped a child who was crying.
2 She bought coffee and cake.
3 She enjoyed talking with a boy.
4 She asked a boy for directions.

No.25
1 She didn't know how to order the vase.
2 She didn't like the yellow color.
3 She dropped and broke the vase.
4 She received the wrong item.

No.26
1 James couldn't see the dolphin show.
2 James got interested in sharks.
3 James saw people feeding penguins.
4 James spent a long time watching penguins.

No.27
1 In the school library.
2 Inside the classroom.
3 In the computer room.
4 At the bookstore.

No.28
1 Her father borrowed it from his friend.
2 Her father bought it at the bookstore in town.
3 She found it at the nearest bookstore.
4 She placed an order online.

No.29
1 A ham and lettuce sandwich.
2 Curry and rice with vegetables.
3 An omelet with potatoes.
4 Spaghetti with meat sauce.

No.30
1 Borrow books from the library.
2 Find group members.
3 Decide on a topic.
4 Go to the computer room.

模擬試験 解答一覧

筆記

1

(1)	2	(6)	3	(11)	1
(2)	4	(7)	3	(12)	4
(3)	1	(8)	2	(13)	4
(4)	2	(9)	4	(14)	1
(5)	1	(10)	2	(15)	3

2

(16)	3
(17)	2
(18)	4
(19)	2
(20)	1

3

(21)	2
(22)	3

4

A	(23)	1	B	(26)	3
	(24)	2		(27)	4
	(25)	4		(28)	3
				(29)	1

5

（解答例）I've never seen such a robot. What did the robot look like? Did the robot talk to you? About your question, I'm sure more and more robots will be used in the near future because Japan will have fewer workers. These robots will work instead of human workers.

（48語）

6

（解答例）I think that students should wear uniforms at school. First, choosing their own clothes takes time. If they wear uniforms, they can spend extra time on studying or doing something important. Second, they feel nervous in uniforms and then can concentrate on studying. This will lead to better grades. Therefore, students should wear uniforms to school.

（56語）

リスニング

第1部

No.1	2	No.6	2
No.2	1	No.7	3
No.3	2	No.8	3
No.4	2	No.9	2
No.5	3	No.10	1

第2部

No.11	4	No.16	1
No.12	2	No.17	4
No.13	4	No.18	2
No.14	4	No.19	3
No.15	3	No.20	4

第3部

No.21	4	No.26	4
No.22	3	No.27	1
No.23	2	No.28	2
No.24	1	No.29	2
No.25	4	No.30	3

解説とリスニング問題の
スクリプトはこちら
https://www.takahashishoten.co.jp/book/eikenmogijyun2q2024/

著者

津村修志　つむら しゅうじ

京都外国語大学専攻科英米語専攻、University of Northern Iowa-M.A. in TESOL (Teaching English to Speakers of Other Languages)、Nova Southeastern University-M.S. in ETEC(Education with Specialization in Educational Technology)修了。大阪商業大学公共学部教授。

本書は2023年8月に発刊した書籍を、2024年度の試験リニューアルに合わせて加筆・訂正した改訂版です。

英検®準2級 頻出度別問題集 音声DL版

著　者　津村修志
発行者　清水美成
発行所　**株式会社 高橋書店**
〒170-6014 東京都豊島区東池袋3-1-1 サンシャイン60 14階
電話　03-5957-7103

本書の内容についてのご質問は「書名、質問事項（ページ、内容）、お客様のご連絡先」を明記のうえ、郵送、FAX、ホームページお問い合わせフォームから小社へお送りください。
回答にはお時間をいただく場合がございます。また、電話によるお問い合わせ、本書の内容を超えたご質問にはお答えできませんので、ご了承ください。本書に関する正誤等の情報は、小社ホームページもご参照ください。

【内容についての問い合わせ先】
書　面　〒170-6014 東京都豊島区東池袋3-1-1 サンシャイン60 14階　高橋書店編集部
ＦＡＸ　03-5957-7079
メール　小社ホームページお問い合わせフォームから（https://www.takahashishoten.co.jp/）

【不良品についての問い合わせ先】
ページの順序間違い・抜けなど物理的欠陥がございましたら、電話03-5957-7076へお問い合わせください。
ただし、古書店等で購入・入手された商品の交換には一切応じられません。